FORMA Y ESPÍRITU

DE UNA LÍRICA ESPAÑOLA

LOS LIBROS DE ALTISIDORA N.º 1
Reproducción facsímil de la
primera edición, publicada
en Méjico en 1950

© JOSÉ FRANCISCO CIRRE
© EDITORIAL DON QUIJOTE
Horno de Haza, 21
Edificio "La Purísima" Local n.º 9
GRANADA (España)
ISBN: 84-85933-16-8
Depósito Legal: GR-49-1982
Imprime T. Gráficos ARTE
Camino de Enmedio s/n.
MARACENA (Granada)

FORMA Y ESPIRITU
de una Lírica Española

*Noticia sobre la renovación poé-
tica en España de 1920 a 1935,*
por José Francisco Cirre

PREFACIO

Intento con el presente ensayo sistematizar
en lo posible un período de la historia poética
española, riquísimo en calidad y volumen,
que por su cercanía a nosotros y por sus es-
peciales características ha dado pábulo, como
ninguno, a violentas polémicas literarias.

Gran parte de la labor crítica referente a
él se halla dispersa en centenares de periódicos y revistas, en su mayoría de difícil acceso.
Aludo a publicaciones contemporáneas de
los primeros años del movimiento que ya
dejaron de editarse por diversos motivos. Especialmente, cierto número de revistas peninsulares cuyas colecciones han venido a cons-
tituir preciada posesión de bibliófilo y que
retrataban, de primera mano, la impresión
inicial del nuevo arte en los círculos intelectuales. Tales revistas, algunas de las cuales
cito más adelante, eran a un tiempo juez y
parte en la disputa poética. Por consiguiente
sus pareceres se hallarían hoy sujetos a estrecha revisión. Muchos de los valores pro-
clamados por entonces se han disipado después. Muchos subsisten y otros, en los que
la crítica no se detuvo demasiado, recibieron
posterior consagración. De todas maneras,

7

las opiniones arbitrarias lanzadas al espacio tenían cierta frescura rebelde, carente de meticulosidades eruditas. Y a menudo, con toda su tremenda arbitrariedad, resultaron acertadas.

La crítica posterior, más mesurada, no ha dicho, sin embargo, su última palabra. Grande es ahora la cantidad de material manejable, pero en él persiste la huella polémica. Y, por otra parte, escasean, salvo en libros escolares, los estudios de conjunto.

No trato aquí, como se hubiera dicho cuando la frase estaba de moda, de "llenar un hueco". Ni mucho menos de agotar el tema. Como tampoco de pontificar. Admito mis inclinaciones favorables a las concepciones estéticas de mi generación. Pero de esto a sentar doctrina hay una pequeña distancia. Lo doctrinario en arte es muy relativo y pensar en dogmas inmutables para aplicarlos a la literatura como teoremas matemáticos constituye un pecado de lesa estética. Una ridícula y académica vanidad. Y hasta las Academias, quién lo diría, se renuevan y cambian de piel en algunos lustros. ¿Quién hubiera soñado académico a un Baroja en los albores del siglo? ¿Quién, por la misma época, se habría atrevido a negar "profundidad filosófica" a una dolora de Campoamor?

A los truculentos dramas de Echegaray y Dicenta sustituyó el teatro de Benavente. A éste el de Lorca y Casona. Y lo mismo en poesía, en novela, en pintura. Cada tiempo quiere su tiempo, de acuerdo con las más elementales leyes humanas.

No obstante, en ocasiones y por un cúmulo de circunstancias favorables, determinadas escuelas o maneras de expresión tropiezan con hallazgos capaces de flotar sobre las oleadas sucesivas y adquirir un noble matiz extra o supratemporal. Para mí tengo que algo semejante acaeció con la poesía de Salinas, de Lorca, de Guillén, de Cernuda y de sus compañeros. Llegaron a punto y dieron en el clavo.

Debo aclarar que mi trabajo, concebido con fines diferentes, consideraba estrictamente la producción poética de 1920 a 1935. Cuando decidí publicarlo, lo modifiqué aligerándolo de innecesario fárrago erudito y completándolo con referencias a la labor posterior de algunos autores después de la última fecha. Así, si bien el panorama se descompone por un lado, por el otro gana, ya que las producciones tardías demuestran cómo la peripecia bélica en España, y fuera de ella, ha impreso en la poesía "optimista" su conciencia de cataclismo inevitable.

También insisto en declarar que en el actual ensayo me propongo recoger tan sólo a los "penúltimos". Los "últimos" quedan para después. Más aún, incluyo en el segundo grupo —a pesar de los pesares— a Dámaso Alonso cuya obra primera ha sido totalmente sepultada por él mismo con la publicación de *Hijos de la ira*, correspondiente, por circunstancias del tiempo, mentalidad, estilo y tendencia, a la etapa comenzada después de 1936.

Mi trabajo comprende dos partes. Los tres capítulos iniciales quieren establecer los orígenes, propósitos y fundamentos del florecer lírico precontemporáneo y descubrir la razón de su nacimiento. Los restantes capítulos exponen las tendencias de cada poeta y sus ulteriores divergencias conforme a su personalidad, hasta que la lírica desemboca en nuevas y diferentes concepciones ideológicas y estéticas.

I

LA PROGRESIÓN DEL 98

Es bien sabido que el período de transición
entre los siglos XIX y XX corre parejas, en
España, con una crisis de conciencia nacional.
Crisis reflejada por igual en el pensamiento
y en la creación, en la política y en la sociedad. La pérdida de las últimas colonias des-
pojó a la Península de unos andrajos de
grandeza que parecían guiñapos de mendigo.
Quedóse abandonada frente a sí misma, des-
nuda con sus recuerdos heroicos. Como en
las viejas familias devoradas por los lentos
azares de la ruina, debía empezarse de nuevo o, sencillamente, perecer. De ahí el hondo
pesimismo y la violencia introspectiva de los
intelectuales en las postrimerías del XIX. De
ahí, también, el aire de dómine regañón
asumido por los pensadores. Estos pensadores, entregados a la severa meditación de los
destinos ibéricos, establecieron, por vez primera, una tabla reguladora de valores y anti-
valores. Pero la íntima anarquía de los es-
píritus impidió el acuerdo. Y, como siempre
ocurre en casos tales, el único lazo de unión
fué la protesta. Cada dedo señalaba remedio

distinto para la dolencia. Los más buscaban la salvación en el "progreso" transpirenaico, espejo y modelo de toda ventura. Los menos se encastillaban en un celtiberismo enfurecido. Pero unos y otros coincidían en la inevitable y urgentísima necesidad de rectificación nacional.[1]

El general hundimiento salpicó el campo de las letras y, en especial, el de la poesía. Se deseaban moldes más consistentes. Expresiones más acordes con los tiempos y las ideas. Una restauración literaria que permitiera cortar el cordón umbilical de vasallaje

[1] Como generación literaria, la del 98 le parece muy discutible a uno de sus escritores más representativos: Pío Baroja. El nombre, descubierto, propagado y defendido por Azorín, perduró por su coincidencia con una fecha de la historia española clamorosamente desdichada. Para Baroja al 98 le falta el sustentáculo de expresiones, estilos y escuelas comunes. Tampoco cree en la influencia de los "precursores" —Ángel Ganivet, Joaquín Costa— que afirma no fueron leídos por los escritores revolucionarios de entonces. En otro sentido, el hallazgo de Azorín es válido, pues si bien no se logra unanimidad en la expresión, existe, ciertamente, en el propósito. Claro está que salvedades semejantes a las de Baroja nos conducirían a desterrar el concepto común de generación artística. Véase sobre el tema, también, el libro de Pedro Laín Entralgo, *La generación del 98* (Madrid, 1945).

a modas extranjeras de cincuenta o cien años atrás y de paso se liberara del plúmbeo prosaísmo localista, sin gracia ni grandeza, en que yacía la literatura y de la ñoñez invasora del gusto público.

En efecto, de 1700 a 1900, España había vivido, por comparación a los Siglos de Oro, casi en un desierto lírico escasamente alimentado con los relieves del neoclasicismo, el romanticismo y otros "ismos" entrados por el portillo pirenaico. Pecaríamos de injustos negando, en absoluto, la existencia de vibraciones auténticas —aunque, por supuesto, de alcance puramente doméstico— que marcan breves intervalos en la monotonía del horizonte poético. Curiosa servidumbre ésta si se tiene en cuenta que el teatro y la prosa erudita del XVIII, pese a girar en la órbita francesa, mantienen un cierto sabor nacional y permiten señalar algunos logros apreciables, no del todo exentos de la pedantesca suficiencia general. En cuanto a la novela del siglo XIX, asciende, con Galdós y Pereda, a cimas de estilo y contenido que admiten parangón con las de cualquier país en esos tiempos. Inclusive, si abstraemos la ramplonería de los versos y el afán efectista, el drama romántico intenta a menudo acercarse a la tradición.

Como dijimos, sería atrevido rehusar en redondo un mínimo valor a la lírica entre 1700 y 1900. En la primera mitad del siglo xviii, núcleos literarios provincianos prolongan la ya vacía estela de un culteranismo que, sin embargo, en Granada por ejemplo,[1] realiza todavía algún feliz hallazgo. O pretenden resucitar, en otras ciudades y con mala fortuna,[2] ilustres escuelas clásicas.

De 1750 a 1800 hay materia que salvar. Un Nicolás Fernández de Moratín —hombre de regular talento y visión— acierta a encauzar en versos elegantes algunos viejos temas nacionales. Meléndez Valdés, en sus artificiosas églogas, despide, de vez en cuando, chispas creadoras. Más vale Cadalso, aunque se inspire en Young y carezca de la

[1] Cf. la *Oda de Alfeo y Aretusa* de Porcel Salafranca. En ella el viejo culteranismo —quizá no enteramente gongorino— exprime los postreros jugos del Betis y de los tópicos andaluces de tipo mitológico, sobrecargados de alusiones, de excesivo hipérbaton.

[2] Las llamadas "escuelas segundas" de Salamanca y Sevilla en el siglo xviii no resuelven ningún problema poético. Ocurre, sin embargo, que sus mejores representantes olvidan las reglas generales de pedantería latinista y el afán de sacrificar la mediocre inspiración a la versificación perfecta. Por eso han dejado algo.

14

originalidad que se le ha querido conceder. Por mi parte, no me atrevo a juzgar a Quintana y a sus imitadores.

Por lo que hace al movimiento romántico español, es evidente que presenta tres líricos de relieve: Espronceda, Zorrilla y Bécquer.[1] El primero, entre insalvables abismos de vulgaridad, se deja en ocasiones arrebatar por un estro de vívida fibra. El segundo escribe poemas estimables en medio del caótico fluir de su producción. Bécquer, por su parte, es, sin lugar a dudas, el poeta más completo de nuestra historia literaria durante los doscientos años en cuestión. Así lo proclaman su sensibilidad, buen gusto, capacidad metafórica y sinceridad. Por eso los modernos le han colocado en pedestal más alto que a los restantes. Se halla mucho de vena española bajo la nórdica niebla que cobija a este sevillano.

Después, y casi hasta la terminación del siglo, sólo encontramos prosaicos versificado-

---

[1] Siquiera como valor histórico, debiéramos recordar, igualmente, al poeta valenciano Arolas y, desde luego, por su significación dentro del movimiento romántico, al Duque de Rivas, más conocido como dramaturgo, cuyos romances —algunos de indiscutible mérito— abrieron camino para la revaloración de ciertos aspectos populísticos de la poesía peninsular.

res alternando con "pequeños filósofos" de pretensiones humoristas.

Admito, desde luego, que mis personales puntos de vista se presten, todavía en España y mucho más fuera de ella, a encarnizadas disputas. Una legión de académicos y tratadistas defiende firmemente las trincheras protectoras de los consagrados en antologías adocenadas. Antologías contemporáneas de una crítica que, por dicha para todos, se encuentra agonizante. Sea como fuere, me parece que no valdría la pena discutir hechos tan concretos como el del apartamiento general de nuestro cánon lírico, distintivo de la época antedicha. Y aunque admitamos excepciones, pocas hay en lo que respecta al servilismo y sumisión a estilos de fuera. En el fondo el siglo XVIII —conscientemente— y los románticos —subconscientemente— alientan al amparo de París y, con menor frecuencia, al de Londres. Lo peor no es esto, ya que, en todo tiempo, influencias extrañas han pesado sobre cualquier literatura, sino la falta de vigor interno. El vacío oculto bajo esa capa de la moda que convierte a España en remota provincia del ecúmene europeo. Los resultados surgen palpables. Versos menores. De tono manifiestamente reflejo. O, como reacción, efectismo a todo trapo y cincelado canto a la "gloria nacional". Y, por supuesto, aunque los grandes autores del barroco se citen de memoria, sus sepulcros tienen echadas las siete llaves con que Joaquín Costa quería cerrar el de Myo Cid. En realidad a nadie le preocupan, ni siquiera a los críticos, a no ser como materia de ostentación erudita.

Haciendo omisión de los infinitos aspectos del 98 en otros campos y ciñéndonos al propósito que nos ocupa, cabría preguntarse de qué bases partieron los renovadores de la lírica. En esto, como en todo lo demás, no faltó la intentona de salvar a España "desde fuera", pero, por afortunada paradoja, los cimientos de la reforma se echan desde dentro. Unamuno, con su mística iberizante, inicia una verdadera revolución poética que, bien entendido, no constituye sino el paso previo a la restauración de lo tradicional. No voy a emprender la tarea de criticar al maestro salmantino. Estimo que los poemas de Unamuno no deben considerarse separados del conjunto de su obra y que se hallan subordinados al resto de su producción. Por otra parte, su papel es el de abrir camino, pero no perduran como escuela, ni podían perdurar, por muy diversas razones, entre sus compañeros de generación.

Hay que confesar que, en el dominio de la estética pura, la Península contrajo en el 98, y después, considerables deudas con la América hispana. Mas, de acuerdo con la justa observación de Pedro Salinas,[1] los movimientos finiseculares en ambas riberas del mundo hispánico se hallan colocados bajo distinto signo. Comúnmente los americanos hacen gala de una tendencia centrífuga, expansiva, rumbo a Francia, en la que se mezclan dosis desiguales de neorromanticismo, simbolismo y parnasianismo. Componentes idénticos pudieran encontrarse en España, mas el verso peninsular va, de modo progresivo, recogiéndose sobre sí mismo, abandonando en aras de la simplicidad las formas complicadas, brillantes, ultramusicales y saturadas de referencias a universos lejanos, a majestades olímpicas, a pasiones amorosas imaginarias y hasta enfermizas. España comienza a centrarse y a contemplar su recatado tesoro de memorias.

Deseo hacer patente que ni por un instante he pensado en desconocer la influencia ejercida por Rubén Darío sobre sus coetáneos españoles.[2] Pero, igualmente, debemos afir-

[1] *Literatura Española Siglo XX* (México: 1ª ed., Séneca, 1941; 2ª ed., Robredo, 1949).

[2] La influencia del modernismo rubeniano en España orienta y desorienta a un tiempo. A veces

mar que semejante influencia está en razón inversa de la personalidad de quien la recibe. Los menos inmunes a ella son poetas de segundo o tercer orden esclavizados por el canto de cisne y el colorido rubenianos. Los mejor dotados se limitan a aceptar al nicaragüense, sin mengua de su propia individualidad literaria.

Fuera de la mentada corriente americanista, el 98 ofrece tres grandes poetas, de decisivo peso como antecedente de los acontecimientos literarios posteriores: Antonio Machado, adentrado en el corazón de Castilla; Manuel Machado, que viste el modernismo a la andaluza, y Juan Ramón Jiménez, el más cercano a la generación siguiente, que, en cierta medida y extensión, toma de él sus directivas.

Antonio Machado trabajó por reducir la poesía castellana a su expresión más sobria y descarnada. En él es meditación la soledad y soledad la meditación. Martirio in-

--el caso de Tomás Morales— surge un Rubén al pie de la letra, aunque infinitamente menos genial. En muchos de los poetas anteriores a 1914, Rubén y Verlaine se confunden de manera absoluta. En otros, Emilio Carrere especialmente, triunfan Verlaine y el decadentismo. Cf. Pedro Salinas, *La poesía de Rubén Darío* (Buenos Aires: Losada, 1948).

trospectivo que gravita, como el paisaje mismo, hacia la muerte. Desolada y triste quietud superpuesta a un admirable fondo de sierras desnudas, rocas petrificadas y páramos amarillos, dotados de pasiones verticales. Del cielo a la tierra, soles, nieves, vientos y tempestades, amenazan las ramas de los olmos, mientras los hombres permanecen inmóviles. A la manera de Jorge Manrique, un estremecimiento de elegía corre por las coplas de Antonio Machado. Pero aquél poseía la inconmovible fe medieval y Dios era, para él, seguro puerto de refugio. La tragedia de Machado es más honda. El tono estoico y senequista de su palabra se apoya en la duda. Su soledad viene a resultar, muy a menudo, soledad sin esperanza.

Manuel Machado, al contrario de su hermano, representa el sentido popular andaluz. Deslumbradora estampa de un primer plano andalucista. Versos con reminiscencias de Verlaine y Darío, extraviados entre melodías de guitarra y jalear de café cantante. Bajo aspecto tan luminoso y risueño se refugia, también, la tristeza. Tristeza nunca enteramente disipada por el vino, el baile o la canción. Melancolía por escepticismo. Postura negativa maravillosamente expresada en "Adelfos", quizá su más sincera producción. Por comparación a Antonio, Manuel realiza un derroche de color y de luz. Sin embargo, su interpretación poética de lo popular es casi directa. No llega a difíciles elaboraciones ni busca aristocratizar el verso prestándole valores absolutos.

En cambio, Juan Ramón Jiménez figura como anuncio y presagio de los poetas de 1920. En él, Andalucía se condensa y afina. Se nos presenta, ahora, graciosa y profunda, bellísima y esquiva a la lógica. Las metáforas de primer plano son reemplazadas por otras que no pretenden comparar conceptos sino identificarlos por medio de intuiciones emotivas, suprimiendo, por innecesarios, los signos de igualdad o semejanza. Tropezamos, pues, con una técnica de antiguo conocida, la gongorina. El paisaje, punto de referencia para el espíritu, despierta en Juan Ramón una frenética adoración de la Naturaleza. Un verdadero culto panteísta. Y, por consiguiente, al encontrar en su intimidad la justa valoración estética de las cosas, gusta de aislarse en torres cristalinas e inaccesibles, de desdeñar toda solicitación exterior y mirar adentro, al panorama sabiamente recreado, perfecto para la poesía.

El triunvirato anterior, de notoria magnitud en nuestro horizonte literario, no alcanza la plenitud positiva, ni sacude tan ampliamente los ámbitos peninsulares, como quienes lo continúan a partir de 1920.[1]

[1] Además de los poetas modernistas citados, es justo recordar la enorme participación de Salvador Rueda en la gestación del modernismo español. Lugar propio corresponde a los poetas castellanos Enrique de Mesa y Enrique Díez-Canedo.

II

LA GENERACIÓN LÍRICA DE 1920

Las fechas exactas, cuando se pretenden aplicar a fenómenos de lenta gestación, suelen ser caprichosas. Por lo tanto, la establecida aquí no hay que mirarla como indiscutible. En realidad, la trayectoria ascendente de la lírica se inicia en las vecindades de la primera postguerra europea y no podría situarse con entera precisión. Pero hacia 1925 se halla madura.

La conclusión del conflicto mundial de 1914-18 marcó en España un compás de optimismo espiritual, de prosperidad económica y de expansión vitalista. El sentimiento de pesimismo acendrado, consustancial a la generación del 98, se transforma de manera harto visible. La causa, o causas, de semejante cambio no han sido estudiadas todavía. A mi parecer, sería conveniente buscarlas en la quiebra de determinadas premisas sobre las cuales se asentaban los fundamentos de la superioridad europea. Me refiero a la crisis, subsiguiente a la guerra, del materialismo, del concepto burgués de la existencia y de la filosofía positivista. Es decir, de aquellos principios extraños a la mentalidad ibérica. Principios a cuya incomprensión se achacó, durante largo tiempo y por los progresistas nacionales y extranjeros, la persistencia del atraso de la Península y de su casi africana fisonomía. Quienes así pontificaron sobre la barbarie surpirenáica carecían ahora de sus mejores argumentos.

Ante el desastre general, los valores indígenas y la ética peculiar que los mantenía se cotizaron nuevamente. Volvió a exaltarse lo hispánico, no ya con sentimiento nostálgico del pasado, sino como actualidad viva y palpitante. Lo más revelador fué que tal actitud no era privativa de la generación naciente. Numerosos escritores del 98, hasta entonces dudosos de las posibilidades de su país, rectifican sus puntos de vista y cuando se refieren a España, adoptan una postura menos implacable y, en ocasiones, se deslizan por la pendiente de la franca apología. Para citar ejemplos, bastaría comparar las primeras y últimas novelas de Baroja o Blasco Ibáñez. Inclusive Ortega y Gasset, si bien nunca abandona su áulica monserga reformadora, se penetra ahora de lo nacional con propósitos de construcción positiva.

No hemos de figurarnos que el elogio de lo propio a partir del 20 signifique desprecio o desdén por lo ajeno. Nada de eso. Lo acontecido con posterioridad a esta fecha es que el pensamiento español deja de sentirse oprimido en la red de complejos asfixiantes que, de una u otra forma, habían gravitado por largo tiempo sobre él. Ya no se es español "por no poder ser otra cosa", según frase de Cánovas del Castillo, sino que lo español se antepone a lo europeo y cada vez con mayor orgullo. Hasta Hispanoamérica, tan alejada y remota durante el siglo xix, en parte por rencores explicables y en parte por inexplicables y mínimas trivialidades, empieza a recapacitar seriamente sobre su contenido ibérico y a volver los ojos a España como brújula y norte de su ruta. A pesar de los desastres político-sociales —Annual, la dictadura de Primo de Rivera y, más tarde, el clima de tremenda inquietud revolucionaria—, demostrativos de que el perfil de equilibrio se hallaba muy lejos de conseguirse, el optimismo, la confianza en futuros destinos y la audacia creadora, siguen su marcha progresiva. Un vigoroso renacimiento surge y se manifiesta de diez mil modos. España vuelve a contar en el mundo, si no ya como primera potencia, a lo menos como nación digna de no continuar siendo ignorada voluntariamente. No importa ahora que África se extienda hasta los Pirineos, porque, a través de su apéndice europeo, ha prestado un inmenso aporte a la civilización occidental. Se trata, pues, de reivindicar el papel desempeñado por España y su contribución histórica a la cultura humana. España, siempre peculiar y extravagante en su acusado mestizaje de Oriente y Occidente, viene —querámoslo o no— a integrarse en Europa y a integrar a Europa. La historia está en pie para demostrar que ambas esferas se complementan, sin necesidad de europeizar a España y cambiarle su ancestral fisonomía, como pretendieron ciertos corifeos del 98, ni de hispanizar al Continente, como quiso Unamuno. Y si ya no es posible lanzar el reto despectivo de "¡Que inventen ellos!", tampoco el otro bando tiene autoridad moral para encastillarse en su incomprensión y señalar como bárbaros a quienes no compartan sus opiniones. La exclamación de Unamuno, en reproche a los que criticaban nuestro atraso material, cobra actualidad, como estandarte de una actitud pasada, y lo mismo la negativa, mantenida por sus contrarios, a reconocer los singulares síntomas de una personalidad nacional diferente. Nos encontramos frente a dos modalidades de existencia. Dos distintas —no opuestas— concepciones del universo. Y los hombres del 20 comprenden que precisamente en esa diversificación reside la posibilidad de complementarse.

Y así como el endiosamiento de la razón y de la filosofía positivista en los siglos XVIII y XIX dejó a España en un apartado remanso, la certeza de que tales principios no eran suficientes sacaba de nuevo a aquélla a la palestra para campear por el espiritualismo y la pasión. La crisis europea, en su conjunto, consistía en una desconfianza frente a las virtudes razonadoras, al positivismo y a la lógica. Es decir, el Continente resbalaba por el mismo plano de "rectificación" que, en dirección distinta, impusiera a la Península el influjo franco-borbónico desde 1700. Pero cuando los cimientos de un edificio se conmueven, existe el peligro de que la construcción entera se desmorone. En el terreno de los hechos, la rápida sustitución de la lógica por un sentimentalismo pasional, una emotividad violentamente demagógica, rompiendo todo freno y obstáculo, iba a acarrear en cortísimo plazo graves conflictos en Europa sin remediar, por otra parte, ninguno de los males que la aquejaban.[1]

[1] Quizá la visión más completa de esta crisis y sus consecuencias se halle en el libro de José Ortega y Gasset, *La rebelión de las masas* (1930).

No consideraremos aquí el problema europeo ni la búsqueda de medios para hallarle solución. Por el momento sólo nos interesa puntualizar que los españoles recobraron confianza en su vieja ideología y se sintieron seguros en medio del naufragio. Y aunque las consecuencias no debían ser muy duraderas, política ni socialmente, en cambio sí lo fueron en el campo del pensamiento y de la estética.

Por ello, la generación hispánica de la postguerra inicia su carrera literaria libre de todo provincianismo, de cualquier sentimiento de dependencia artística. Si conoce, y hasta se inspira, en modelos ajenos, no asume el anterior papel de pasividad. Los transforma e incorpora en su carne y en su sangre. Pero, en mucho mayor grado, su tarea es de creación. Como en los Siglos de Oro, España deja de considerarse rincón alejado al cual llegan los rumores, cuando llegan, envueltos en sordina. Y si su fuerza y medios no le permiten ya, en ningún caso, ocupar el puesto nuclear, en el juego de las artes y las letras hace ventajosa sombra a sus rivales. Semejante postura se combina con el gusto del propio redescubrimiento. Gusto de encontrarse y conocerse, de verificar un ventajoso examen de conciencia y salir de él con la mente y el ánimo ligeros, ganosos de aventura.

En adelante habrá una ciencia hispánica, renovada, presurosa, dispuesta a recobrar el tiempo perdido. Una investigación serena y consciente. Y, ante todo y sobre todo, una estética nacional. Para lograrla se ha retrocedido hasta el barroco. Se lucha por alcanzar esa indefinible forma artística casi privativa de España. Se concede la merecida categoría al hermetismo de Góngora y del Greco. La poesía, desde 1920, no se detiene en demasiados tanteos para ingresar en los viejos cauces. Como no podía menos de suceder, esta poesía va paralelizándose con estados de espíritu que, directa o indirectamente, reflejan el sentir de las capas estéticamente más responsables en la nación. Y sigue su impulso evolutivo a pasos de gigante.

III

POPULARISMO Y ARISTOCRATIS-MO EN LA TRADICIÓN POÉTICA

El desconocimiento o, mejor dicho, el cono-
cimiento parcial de nuestros clásicos originó
teorías tan peregrinas como la del "absoluto"
popularismo español. Según reconoce Dámaso Alonso,[1] el hecho es innegable en gran
parte de la novela y del teatro, pero no deja
de ser muy discutible si se intenta aplicar
como teoría general, y más particularmente
cuando se refiere a la lírica. Los precursores
alemanes del romanticismo, que en el siglo XVIII "descubrieron" nuestro barroco, ig-
noraron, deliberadamente, aquellos sectores
del movimiento literario español inconvenientes a sus postulados fundamentales. Según su
criterio, la literatura debe expresar el espíritu
de un pueblo, comulgar con sus ideales, su
lenguaje, su vida cotidiana y su forma especial
de concebir la realidad. Esta teoría, aplicada
a España, consiguió tanta fortuna que, aun
recientemente, eruditos de la talla de Karl

[1] *Ensayos sobre poesía española* (Madrid: Revista
de Occidente, 1944).

30

Vossler[1] defendían cerradamente sus principios. Y si bien no pueden pasar por alto la existencia de producciones conceptuosas, en la prosa y en el verso, indudablemente oscuras para el vulgo, sospechan que, oscuras o no, el pueblo no tardaba en asimilarlas y hacer de ellas una habitual manera de expresión. Es probable que algo semejante haya sucedido. Mas, en general, se han confundido lamentablemente dos hechos: el de que en España existiera, desde los comienzos del idioma, una musa popular vigorosa y el de que los autores, cultos o no, hubieran de plegarse por necesidad ineludible a sus dictámenes. Una mejor documentación se está encargando, pacientemente, de deshacer el error. En adelante no será excusable confundir, como se ha venido haciendo, los temas y los sistemas líricos. Quiero decir, el asunto, a menudo popular, con la construcción poemática, frecuentemente estilizada y sabia.

Esto último no es exclusivamente aplicable a la lírica española escrita en castellano. Lo es, también, a la poesía peninsular prerromance y semita. Parece tener íntima ligazón con la psicología de la España meridional. Un estímulo lúdico que excita e incita a

[1] *Introducción a la Literatura Española del Siglo de Oro* (Madrid, 1934).

manejar la palabra dándole convencionales significados, creando imágenes extrañas, atrevidas, elaboradas y ágiles. A pesar de los estudios de Amador de los Ríos,[1] se ha olvidado muchas veces que España fué la patria de Lucano. De un Lucano que influyó en los autores de nuestro barroco bastante más de lo que comúnmente se ha supuesto. Andalucía ha sido, después de Lucano y durante toda la Edad Media árabe, zona de exquisitez estilista insuperable.[2] Y si al lado de la *qasida* aristocrática se cultivan en Córdoba, durante el Califato y los Taifas, el zéjel y otras coplas populares del mismo tipo, estas versiones del ingenio anónimo llevan implícita la huella de la supermetáfora, la imagen rápida y el juego verbal en idéntica extensión a aquéllas.[3] Su sola diferencia reside en poseer un aire menos formalista y una clave más asequible.

Inclusive dentro de esa Edad Media castellana tan "realista", nos tropezamos de ma-

[1] *Historia Crítica de la Literatura Española* (Madrid, 1861).

[2] Cf. la excelente antología de Emilio García-Gómez, *Poetas arábigo-andaluces* (Buenos Aires, 1941).

[3] Cf. A. R. Nykl, *El Cancionero de Aben-Guzmán* (Madrid-Granada: Escuelas de Estudios Árabes, 1933).

nos a boca, en la corte de Don Juan II, con un Juan de Mena. Estamos, todavía, en el umbral del Renacimiento. Naturalmente se sale del paso y se obvian las dificultades afirmando que se trata de un "poeta oscuro" y poco afortunado en la factura de su *Labyrintho,* sobre todo cuando se le compara a un Santillana y a un Manrique. Esto es fácil de decir. Mucho más si se parte de las bases acostumbradas y no se tienen en cuenta los esfuerzos realizados, por los tres, para crear un lenguaje poético propio y se asume la posición de no considerar poesía estimable sino lo que se halle al alcance del primer recién llegado.

Por lo que respecta al combate emprendido por los clásicos en pro de la consecución del cultismo, de algo así como un habla de minorías, hemos de convenir en que no ceja un solo instante hasta alcanzar su cima en las *Soledades* de Góngora. La evolución de la poesía española para llegar a este punto y las fuentes, próximas y remotas, del movimiento fueron seriamente estudiadas, por vez primera, por mi maestro Lucien-Paul Thomas.[1] Él fué el iniciador de la oposición a la

[1] *Le Lyrisme et la Préciosité cultistes en Espagne* (Halle a. Saale, 1909).

gratuita teoría de los "dos Góngoras" y al sambenito de "mal gusto y extravío mental" que colgaron al genial cordobés nuestros críticos del siglo XIX.

Parecería lógico que la discusión del gongorismo fuera cosa de clavo pasado tras la publicación del magistral estudio de Dámaso Alonso.[1] Pero numerosos eruditos en diversos países se resisten a la evidencia y siguen aferrados a la vieja escuela. Según ella, la poesía debe "entenderse", exactamente igual que un teorema matemático, por desmenuzamiento. La otra poesía, la que se "siente", maravillosa mezcla de intuiciones y atisbos, de interpretaciones caprichosas y mágicos realismos, queda por fuera, puesto que no puede razonarse. Pero cuando se intenta reducir a un poeta a fórmulas lógico-matemáticas, bajarlo al nivel de la razón, se comete un imperdonable delito de alta estética, que, desde luego, revela el peor fracaso crítico. Ni ahora, ni antes, ni nunca, podremos aplicar teoremas racionales para juzgar el universo de lo emotivo.

[1] Don Luis de Góngora, *Obras mayores, I. Las soledades,* ed. por Dámaso Alonso (Madrid: 1ª ed., Revista de Occidente, 1927; 2ª ed., Cruz y Raya, 1936).

El gongorismo tiene su más inmediato y legítimo antecedente en Fernando de Herrera, teorizante de un movimiento que debía desembocar en la poesía aristocrática y minoritaria. Sus comentarios a Garcilaso, sus polémicas con los castellanos y su propia producción, revelan claramente sus empeños.[1]

El gongorismo posee ya la condición de lenguaje poético puro y en cada verso une a la excelsa calidad estética el sentido de la música, facilitando la supresión de referencias concretas y haciendo del argumento pretexto para el poema. Se deleita en un despliegue metafórico progresivamente complicado. Busca imágenes con plena querencia intelectual. Góngora llega a un esteticismo *per se* sin abandonar nada al azar de un descuido. Su norte es la armonía. La armonía musical de la palabra. La recreación de la naturaleza. Como ha visto Pedro Salinas[2] con mucho acierto, la poesía gongorina consiste en una sublimación de realidades. Al fin y a la postre, semejante sublimación no es sino un

[1] Para este aspecto de la lucha idiomática de Herrera y los castellanos —revolucionarismo y casticismo—, cf. Amado Alonso, *Castellano, español, idioma nacional* (Buenos Aires, 1941).

[2] *Reality and the Poet in the Spanish Poetry* (Baltimore: Johns Hopkins University Press, 1944).

modo peculiar de realismo. También Salinas,[1] basándose en media docena de altísimos ejemplos, considera la realidad en nuestra poesía —el famoso "realismo" hispánico— como la simple presencia de cosas que se trata de esquivar. La realidad se utiliza como punto de partida, desde Garcilaso a Espronceda, para fugarse hacia la creación. La sola vez que los hechos, tal cual son, se aceptan sin ulteriores interpretaciones es en los cantos épico-heroicos del tipo de Myo Cid.

Evidentemente el anterior aserto no excluye la existencia del elemento popular en la lírica española. Aparte de cierta poesía, netamente anónima, iniciada ya en la Alta Edad Media, los autores peninsulares han mostrado inclinación manifiesta a glosar temas de verdadero contenido poético cantados por boca del pueblo. Y esto desde el siglo xv. Baste recordar las "Serranillas" de Santillana o las transcripciones, casi literales, de Gil Vicente. Pero, de aquí a suponer que el poeta busque el tono del vulgo para colocarse a su nivel, media un abismo. Por el contrario, el escritor que elige tales asuntos gusta de hacerlos ascender a su altura, obligando a la masa —"a la gente baja y de servil condición", de que

[1] *Ibid.*

hablara Santillana— a subir unos peldaños por la escala de la estética.

Tampoco hemos de olvidar, si queremos conseguir una justa visión del problema, la coexistencia, desde los primitivos balbuceos del lenguaje escrito, de dos manantiales líricos harto diversos: el andaluz y el castellano. Hasta quienes se atreven a negar la influencia del determinismo geográfico, tendrán que hallarse de acuerdo con el fenómeno señalado. La preferencia por la palabra brillante y nueva, la imagen sorprendente y feliz, el efectismo musical, los matices cromáticos del verso, característicos de Andalucía, ofrecen la contrapartida del concepto sentencioso y breve, la sencilla y exacta comparación, el casticismo idiomático y la sobriedad castellanas. Para ilustrar lo dicho sería suficiente releer a Mena y a Manrique, al toledano Garcilaso y a Castillejo, a Herrera y a Fray Luis, a Góngora y a Lope, etc. Son dos modalidades tan obvias para todos, tan manoseadas en cualquier manual de literatura, que no valdría la pena insistir sobre el hecho. Mucho menos cabría negar que por ambos caminos se ha llegado a la consecución de obras maestras.

Pero, inclusive cuando arrancan de la misma fuente, las versiones del norte y del sur del Tajo muestran hondísimas diferencias de concepto y desarrollo. El ejemplo de dos horacianos —Andrés Fernández de Aranda en su "Epístola Moral a Fabio" y Fray Luis de León en su oda "A la vida del campo"— es suficientemente claro y de fácil comprobación. Sea como fuere, cada cual dentro de su mundo, o del mundo de su estilo, lucha y se esfuerza por lograr más amplio horizonte para la poesía. Más finas construcciones. Y, a menudo, por depurar notables hallazgos populares incorporándolos al raudal de sus propios versos.

Convendría ahora hacer hincapié en otro aspecto de nuestra poesía y preguntar, y de paso aclarar, qué supone, en el fondo, esa continua referencia a lo real, a lo existente, sin otro aparente objeto que el de escapar a la realidad descrita o transformarla. Para mí semejante actitud es la clave no sólo de la estética barroca, sino del pensamiento barroco en conjunto. Y, a su vez, el barroco ha constituído la mayor aportación hispánica a la cultura universal. La poesía, la literatura, el arte, la filosofía y hasta la armazón político-social del barroco reposan en el mismo principio, siguen igual senda. Pretenden ser y no ser a un tiempo, existir y no existir. Engañarse voluntariamente y conocer, sin embargo, la verdad. Yo mismo he escrito en otro lugar:

El barroco es una patética desproporción entre propósitos y logros, resuelta en dolor y derrota. Curiosamente, esta derrota, que destroza a España en su carne y en su sangre, deja intacto el espíritu. La Península busca, en pleno patetismo, su salvación en el espíritu y por el espíritu... Y si el espíritu sobrevive en este mundo de engaños es en la medida en que se aleja de la razón para acercarse a la imaginación... El realismo, tan cacareado, actúa de trampolín para la huída.[1]

Todos los medios de que el hombre dispone para esta fuga pueden reducirse a dos. El primero consiste en considerar la realidad como algo transitorio y perecedero. La vida, como camino hacia la muerte. Es decir, en la adopción de una postura estoico-ascética. El segundo sería el de rodearse de cosas capaces de embellecimiento y aislarlas, y aislarse, de aristas y asperezas por muros de marfil, para reconstruirlas a nuestro gusto y manera. En una palabra, edificar un pequeño paraíso y gozarlo intensamente, desechando el resto del planeta.

[1] "Razón y sinrazón de Quevedo", *Revista de las Indias,* nº 81, Bogotá, septiembre de 1945.

Ambos medios conocieron el favor de nuestros escritores barrocos. Dentro de sus premisas, una lírica realista, de bajo vuelo, apegada a términos concretísimos e inmediatos, hubiera carecido de jugo y contenido. Se habría transformado, y por iguales causas, en el seco prosaísmo de que tan buena muestra dejaron la mayoría de los vates españoles en la segunda mitad del xix.

En conjunto, nuestra poesía mejor lleva el sello del idealismo hispánico, implícito en la concepción filosófica del barroco. Idealismo vigoroso y que surge en cualquier clase de manifestaciones. En poética y en política. Y si mantiene siempre un punto de apoyo en los hechos, lo hace para cobrar impulso al saltar al vacío de la imaginación. Tan falto de realidades está el período culminante de la historia española; se sacrifican, entonces, de tal manera, lo concreto a lo abstracto, lo racional a lo pasional, lo lógico a lo emotivo, que si le negáramos esos matices nos quedaríamos sin lo más relevante de ella: la peculiarísima extravagancia de su ser y su pensar.

Me cuidaré mucho de proclamar, en ningún caso, que España ignorase la realidad. La conoce y estima en todo su valor. Por eso no la acepta. La sabe demasiado insatisfactoria e incapaz de calmar altos anhelos. Las verdaderas realidades ibéricas fueron íntimos idealismos. Y lo mejor de esta historia, lo maravilloso. Es decir, lo racionalmente inexplicable y aquello que, por no ser real, pudo realizarse.

Para concluir estos pasajes previos, diría yo que la comprensión de nuestra poesía clásica —y de la más moderna— exige que recordemos los siguientes principios: existencia, inmemorial en España, de unas formas poemáticas aristocratizantes que, ciertamente, absorben temas realistas y populares a los que imprimen una dirección ascendente; esa lírica trata, por todos los medios a su alcance, de conjugar y sintetizar los más diversos elementos poéticos; la forma lingüística de que se vale la poesía para el logro de sus fines tiene dos caras: una de extrema simplicidad en Castilla, otra de rebuscamiento metafórico en Andalucía; espiritualmente, también, podríamos distinguir dos maneras: el estoicismo —vida como tránsito— y la voluntaria ignorancia de desagradables realidades —vida como goce—; el barroco español —y por ende los Siglos de Oro— giran en torno a esas dos posiciones; la poesía posterior al año 1920, en su deseo de entroncar con el barroquismo,

41

recorre, en breve espacio, las mismas etapas y descansa en idénticas bases, sin olvidar las nuevas circunstancias europeas ni la necesidad de hallarse de acuerdo con su época.

IV

SUBLIMACIÓN DE LA REALIDAD

Como ya hemos apuntado, la lírica española de los años 20 a 35 ingresa en la tradición aceptándola íntegramente y con conciencia de no ir a repetir lo hecho. Quiere vivir en su tiempo y para su tiempo, como los clásicos vivieron en el suyo y para el suyo. Intenta, pues, construir, de acuerdo con la antigua técnica, una metáfora, una imagen, un verso que, intrínsecamente, recuerden lo mejor del pasado y, extrínsecamente, correspondan a nuestros días.

Por supuesto, de 1700 a 1920 había llovido mucho y la lluvia lírica fué particularmente fecunda y abundante en los cuatro primeros lustros del siglo xx. Por eso, y según se ha dicho, la osamenta del vacío poético heredado del xix habíase rellenado, en gran parte, con la producción de Juan Ramón Jiménez y los Machado; en parte mucho menor, con otras aportaciones, y siempre con algo de influencias extrapeninsulares —Rubén Darío, Verlaine, etc.— que enriquecieron el primitivo acervo. Pero, sin desaprovechar ni rechazar lo hecho, y hasta sumándole nuevos

43

dividendos, la generación de 1920 lanza un cable al gongorismo y otros, no tan sólidos, a algunos de nuestros genios no gongoristas del Siglo de Oro.

Por supuesto, los más destacados representantes del nuevo orden poético cumplen el propósito de elevar la realidad a planos superiores. Mas nos engañaríamos suponiendo que todos ellos acepten iguales símbolos y sinos líricos. En opinión mía, encontramos —a lo menos— cuatro tendencias bien diferentes. Una despliega sus alas y se remonta a cumbres absolutas de interpretación subjetiva, hasta un grado nunca logrado con anterioridad. Otra muéstrase preocupada por conseguir una síntesis semejante a la de los maestros del xvii; diríamos, a veces, que pretende establecer un verdadero compromiso entre Don Luis de Góngora y Lope de Vega. La tercera apunta hacia la llamada, por antonomasia, "poesía pura" y, en ese terreno, debe, irremediablemente, hacer concesiones a lo europeo; pudiéramos considerarla incluída en lo que Ortega y Gasset llamaba arte deshumanizado.[1] La última es la más

[1] *La deshumanización del arte* (Madrid, 1928). A pesar de ciertos defectos, es un libro indispensable para comprender las tendencias artísticas del tiempo.

trascendentalista; a ella pertenecen los poetas más jóvenes. Aquellos que plantean el problema de la transición a otro período. Poetas densos cuyos corazones se dejan ganar por los embates de un pesimismo creciente. Hombres que, en previsión de futuras catástrofes —aún amorfas— vuelven a refugiarse en la soledad o a implorar el divino consuelo.

Naturalmente las cuatro tendencias reseñadas poseen puntos comunes. Ornamentación del paisaje, estilización del verso, impresionismo descriptivo, progresión de la emotividad hasta alcanzar las regiones más puras del alma. Y una sintaxis riquísima, variada, de audaz elegancia. Nos tropezamos, de nuevo, con el espíritu hecho letra y palabra. Es decir, con el espíritu de la letra que es el verbo poético. Un verbo polimórfico con cuya ayuda nos sentimos capaces de escalar alturas inaccesibles, desde las cuales la mera contemplación vital nos permite un auténtico regocijo interior. Desde ellas oteamos una España añorada largo tiempo. Una España alegre, de atrayentes panoramas, cuajados de sorpresas. La curva de un viraje en el horizonte ibérico, poblado, esta vez, de motivos amables. Sobre los gritos desgarradores de la sensibilidad de Juan Ramón Jiménez, sobre la cerrada y angustiosa sumersión de Antonio Machado y el fatalismo decadente de Manuel, estalla una aurora de promesas en la cual las dimensiones de la vida ocupan su justo lugar en el espacio.

Conviene recordar que los iniciadores del movimiento renovador —Salinas, Valbuena Prat, Jorge Guillén, Dámaso Alonso, Mauricio Bacarisse, etc.— no son, en su mayoría, gentes cualesquiera, gentes de la calle. Por el contrario, nos hallamos ante verdaderos "clérigos", en el sentido medieval de la palabra. Intelectuales y eruditos. Profesores universitarios. Individuos colocados al margen de la masa y muy versados en los arcanos de la gaya ciencia. Conocedores y gustadores de ella como tratadistas y críticos. Fenómeno similar al ocurrido en el Renacimiento, cuando al poeta se le exigían no ya cualidades de juglar ambulante y anónimo, sino de humanista, de maestro, de hombre familiarizado con Virgilio y Homero. Ahora como entonces, y debido a las mismas circunstancias, se había de componer, por afición y por necesidad, una poesía de sonido aristocrático y para público reducido. Entre 1924 y 1928, aparecen en Madrid y provincias una serie de publicaciones periódicas que recogen y consolidan estas producciones, aunque, a menudo, con un criterio poco riguroso en la selección.[1]

El movimiento, denominado en frase genérica "poesía de vanguardia" o, simplemente, con el abusivo término de "vanguardismo", se confundió, al principio, con el encabezado en Italia por Filippo Tomasso Marinetti, con el dadaísmo y con la literatura europea contemporánea, de apariencia semejante en la superficie, pero de gestación e intención muy distintas.[2]

Es curioso que —inclusive en el "Manifiesto de los Intelectuales catalanes", firmado por Sebastiá Gasch, Lluys Muntanyá y Salvador Dalí—,[3] se confundan los extremos y se adopte una posición desorientadora, hasta cierto punto, respecto a los verdaderos propósitos y orígenes de la recién nacida lírica. En gran medida hay que señalar como responsable de determinadas exageraciones al prurito de *épater le bourgeois* que toda nueva

[1] Entre ellas merecen citarse: *Carmen* (Gijón), *Verso y prosa* (Murcia), *Mediodía* (Sevilla), *Gallo* (Granada), *Litoral* (Málaga) y, sobre todo, *La Gaceta Literaria* (Madrid).

[2] Cf. Guillermo de Torre, *Literaturas europeas de vanguardia* (Madrid, 1925).

[3] Traducido al castellano por Joaquín Amigo y publicado en el nº 1 de *Gallo, Revista de Granada* (Granada, 1928).

escuela flamea como estandarte revolucionario.[1]

A la primera tendencia de las cuatro enunciadas, pertenecen dos poetas mayores: Jorge Guillén y Pedro Salinas. Ambos responden plenamente a los supuestos que la informan y por lo tanto serán objeto inmediato de mi análisis.

Jorge Guillén rezuma en sus versos la satisfacción de vivir. Satisfacción espontánea, ilimitada, conformada, superficialmente, de sensaciones de índole primaria, casi tímidamente táctiles, aunque capaces de extraer los más excelsos goces del espectáculo cotidiano. En algún modo, Guillén representa una suerte de magia transformista de las cosas y sus posibilidades líricas. Magia apta para cambiar de silueta los objetos más humildes, negándose, testarudamente, a contemplarlos bajo el resplandor acostumbrado. Existe en él una superior delicadeza en la apreciación de lo corriente que, pese a nosotros, nos convence

[1] En ese orden de cosas figuran las revistas *Lola* (Gijón) y *Pavo* (Granada) y algunas conferencias dictadas en respetables círculos, amén del calificativo de "putrefactos" aplicado a los antivanguardistas.

48

y entusiasma. Sería estúpido rechazar sus notas de auténtico optimismo. Las formas comunes adquieren, de súbito, bajo el magnífico toque de sus estrofas, volumen diferente, rico de irisaciones, descubridor de valores insospechados. El verso se mantiene siempre fácil. Sin terminos rebuscados o neologistas. Pero, a fuer de sencillo, aparece formidablemente abstracto. Ahí reside el secreto de la cifra poética guilleniana. Nos conduce de la mano a un paraíso de abstracciones sin que notemos nuestra salida del mundo de lo concreto. De aquí que, según el plano de nuestra contemplación, las imágenes asomen en esta poesía como superficiales o profundas. La palabra, dócil a su capricho, eficaz, elegante y directa, conserva una indestructible elasticidad. La facultad de dominar al lector y ser dominada por el poeta. No estoy conforme con el juicio de Pedro Salinas respecto a las semejanzas de Guillén y Whitman. Es posible que existan casuales puntos de contacto entre ambos, pero no los fundamentales; el americano posee, por así decirlo, un panteísmo trascendente y extensivo, en tanto que Guillén, como el propio Salinas reconoce,[1] es poeta de más reducidas, aunque muy intensas, ambiciones.

[1] *Literatura Española Siglo XX*, ob. cit.

En cambio, nunca hechos tan relevantes como el que Guillén haya sido el mejor traductor español de Paul Valéry deben echarse en saco roto cuando tratamos de establecer su filiación poética. No pretendo identificarlos, pero el más lerdo descubriría visibles afinidades intelectuales entre ellos. Iguales esfuerzos por purificar la poesía de bajos contactos, de expresiones cotidianas capaces de mancillar su esplendor. Cincelamiento de lo concreto, medida exacta de la dimensión aceptable para figurar sin temor y entrar de lleno en la belleza inmaculada.

Esa ostentación continua de una suprema vitalidad, al servicio de una matemática poética que nada tiene que ver con la explicación de significados primarios, el deseo de goce centrado en lo mínimo, subordinado a insuperable, e insuperablemente controlada, capacidad estética, no creo sea de ocurrencia común en nuestras letras, ni antiguas ni modernas. Así, cuando describe un camino:

Sola silba y se desliza
La longitud del camino
Por el camino. ¡Qué fino!
¡Mas cómo se profundiza
La presencia escurridiza
Del país, aunque futuro,
Tras el límite en apuro

Del velocísimo Ahora,
Que se crea y se devora
La luz de un mundo maduro!
Profunda velocidad[1]

¿Puede expresarse más sobria y elegantemente la confusión de tiempo y espacio, unificados por la rapidez? Y al lado de ella, la experiencia precisa del mundo adivinado, su "presencia escurridiza", que se nos va de las manos y se encuentra situada más allá de los confines del presente. Por eso la luz crece y mengua en inacabable sucesión. Por eso, también, nuestra inmovilidad mientras el mundo discurre a nuestros pies, ante nuestros ojos y se nos fuga. Cabe preguntar: ¿Presencia del tiempo o del espacio? Y responder: Presencia de una poesía eterna, sin espacio ni tiempo, pero real, verdadera, absoluta.

Veamos, ahora, la primavera —indicada por meras alusiones, contenidas en un pareado— y sus características de mayor eficacia lírica:

¡Oh, luna! ¡Cuánto Abril!
¡Qué vasto y dulce el aire!
Advenimiento

[1] Todos los versos aquí citados pertenecen al libro *Cántico. Fe de vida.* 3ª ed. (México: Litoral, 1945).

Una impresión del paisaje, *in intenso,* se desprende del siguiente poemita:

> Como es primavera y cabe
> Toda aquí... Para que, libre
> La majestad del sol, vibre
> Celeste pero ya suave,
> O para entrever la clave
> De una eternidad afín,
> El naranjo y el jazmín
> Con el agua y con el muro
> Funden lo vivo y lo puro:
> Las salas de este jardín.
>
> *Jardín que fué de don Pedro*

Los símbolos de la naturaleza renaciente —naranjo, jazmín—, la limpieza musical de las aguas y el muro figurado como valla opuesta a cuanto pudiera perturbar la beatitud contemplativa, tienen, en español, la sola novedad del tratamiento poético, pero no es nuevo como concepto poético. Retrocediendo en los siglos —¡ya estamos en el gongorismo!— brotan miles de ejemplos de tales paraísos cerrados a los que particularmente fueron aficionados los discípulos granadinos de Don Luis de Góngora. El poema de Guillén —mucho más concentrado— carece de las habituales divagaciones de sus predecesores en el tema. En el barroco, por otra parte, los versos de semejante tipo constituían casi siempre un deseo de conformar la realidad al poeta, mientras que, en Guillén, es el poeta quien se conforma a la naturaleza y la acepta.

En algunas estrofas las estampas marítimas nos devuelven, otra vez, la dinámica silueta del movimiento, tan vibrante y acertada en este poeta. Las metáforas e imágenes que las adornan, todas ellas muy comprensibles a la par que muy construídas, demuestran, una vez más, la extraordinaria agilidad de matices que distingue a Jorge Guillén:

> Se me escapa de los brazos
> El mar —incógnito, díscolo.
>
> Tropieza el arco impaciente
> De la espuma con silbidos
> Que entre las aguas y el sol
> Esparcen escalofríos
> . . . .
> ¡Arrojarse fascinado
> Con ansia de precipicio
> Para tajante emerger
> Con felicidad de filo!
> . . . .
> Siento en la piel, en la sangre
> —Fluye todo el mar conmigo—
> Una confabulación
> Indomable de prodigios.
>
> *El aparecido*

Pocas comparaciones de mayor fortuna que la de "arco impaciente de espuma", para designar la creada por el oleaje en nuestra mente, o el ansia "de precipicio" con que nos sumergimos en el mar. Por ellas y con ellas, nos colamos de rondón en el universo gongorino. Las cosas, gracias a su existencia, se dejan animar por genios, gnomos, ninfas y sirenas. Las cosas pueden tener, y tienen, aspecto antropomorfo. Los dictados de la época obligan a omitir la aparición de míticos atributos, pero están ahí, conviviendo con la Naturaleza, y bien claramente los sospechamos.

Analicemos una última composición:

> ¡Quién mereciera lo umbrío,
> O lo sonoro si llueve,
> Con lo agudo del relieve
> Que traza ese poderío
> —Tan feliz que exige un río
> Por allí— de los follajes
> Arqueados en pasajes
> Tendidos al regodeo
> De quien apura el paseo
> Profundizando paisajes!
>
> *Las alamedas*

De nuevo surge el tema del paisaje "que se crea y se destruye" en nosotros y por nosotros, como pura presencia subjetiva. Es decir, como verdadera existencia poética. Se trata de proyectar al exterior y con luz propia lo asimilado por los ojos. Fabricar aspectos inmanentes de una realidad abstraída y seleccionada para conseguir un perfil imperecedero, haciendo de la estática dinámica y de la dinámica estática. Dicho de otro modo, combinar tiempo y espacio en los confines de una armonía preestablecida por el escritor. Y lograrlo con semejante sobriedad de palabra es algo que requiere cualidades estéticas excepcionales. Guillén, pues —sin olvidar a Valéry—, ha conseguido traducir el gongorismo a términos modernísimos. Y —lo que resulta infinitamente más dificultoso— dotarlo de una extraordinaria y castellanísima simplicidad.

Así como Guillén recoge lo exterior para transformarlo y devolverlo a sus orígenes, Salinas presenta la tendencia opuesta. Parte, eternamente, de sí mismo y mira, siempre, hacia adentro. Su propia pasión le sirve de puerto de salida y arribada. Su poesía viene a ser una parábola íntima por cuyas elípticas órbitas se desplazan versos que fueron, son y serán satélites del alma que les sirve de centro de sistema y en torno a la cual gravitan.

55

El parabolismo de Salinas sorprende por su extraño alambicamiento, su concentrada y enigmática pasión y su carencia de angustia. Fluye con increíble naturalidad de la palabra al espíritu y del espíritu a la palabra. De común con Guillén tiene Salinas el interés por lo inmanente. Si alguna vez trascendiera sería a pesar, y en contra, de su voluntad. Guillén nos regala un mundo singularmente embellecido y su yo en la medida de esa belleza. Salinas nos brinda un universo exclusivamente personal y privado en el que la clave poética sólo puede ser descifrada por el mismo autor y, por ende, dificulta en sumo grado cualquier ensayo de interpretación objetiva. Por lo tanto la comprensión de esta poesía necesita no perder jamás de vista la personalidad de quien la compuso. El amor en Salinas, su sentimiento predominante, no es un amor indiscriminado hacia las cosas de la vida, importantes o no. Se trata de un amor único, central, enfocado por el poeta sobre un objeto preciso y definido. Objeto esencialísimo de cuyos hilos pende el íntimo existir del autor. Existencia delicada y nebulosa en la que el sueño se realiza y la realidad se sueña. Un mundo despojado de violencias, rupturas y gestos patéticos. Envuelto, completamente, en sorda niebla. Tan profundo, tan personal, tan ine-

fable, que nunca sabremos dónde comienza
ni termina. Está y no está en nosotros. Está
y no está en todas partes. Como la elíptica
parabólica, se cierra, celoso de sí mismo. Aso-
mémonos por un momento a ese sueño so-
námbulo:

> No estás ya aquí. Lo que veo
> de ti, cuerpo, es sombra, engaño.
> El alma tuya se fué
> donde tú te irás mañana.
> Aún esta tarde me ofrece
> falsos rehenes, sonrisas
> vagas, ademanes lentos,
> un amor ya distraído.
> Pero tu intención de ir
> te llevó donde querías,
> lejos de aquí, donde estás
> diciéndome:
> "Aquí estoy contigo, mira."
> Y me señalas la ausencia.
>
> *La distraída*[1]

Esto que pudiera llamarse, como en la
vieja farándula, "engaño a los ojos", no es
sino la presencia de un esqueleto vacío de espíritu, cuando sólo lo invisible cuenta. El
sentimiento de quiebra de lo concreto, de lejanía irremediable, tiene para Salinas una con-
trafigura ocasional:

[1] De *Seguro azar* (1924-1928).

Tú aquí delante. Mirándote
yo. ¡Qué bodas
tuyas, mías, con lo exacto!

Si te marchas, ¡qué trabajo
pensar en ti que estás hecha
para la presencia pura!

Todo yo a recomponerte
con sólo recuerdos vagos:
te equivocaré la voz,
el cabello ¿cómo era?,
te pondré los ojos falsos.

Tu recuerdo eres tú misma.
Ahora ya puedo olvidarte
porque estás aquí, a mi lado.

Amada exacta[1]

Las imágenes utilizadas en ambos poemas
pueden titularse "interiores", porque en ellas
no se opera por comparación de palabras sino
de conceptos. Juegos de ideas en los que
éstas giran a gran velocidad y dentro de un
pequeño círculo, obligándonos a seguirlas, o
perseguirlas, con sumo cuidado.

Cuando Salinas crea una imagen exterior
y describe, por ejemplo, el río Guadalquivir
en el momento en que las luces artificiales
sustituyen a la del sol, dice:

[1] *Ibídem.*

> Desde las orillas
> las desesperadas
> luces suicidas
> al río se lanzan.
> Cadáveres lentos
> rosa, verde, azul,
> azul, verde, rosa,
> se los lleva el agua.
>
> *Acuarela*[1]

La manoseada imagen de un río con reflejos luminosos —luna, sol, acetileno—, tan cara a nuestros poetas del XIX, ha evolucionado bastante. Ahora las luces, objetos casi animados y dotados de voluntad, "se suicidan". Nada menos. Y el río las arrastra como si se tratara de decepcionados románticos o ahogados anónimos. El único efecto visible, para el agua, es que este suicidio colectivo se resuelve en amable policromía.

Pero volvamos a considerar el territorio amoroso en el espíritu de Salinas. Antes he dicho que amor y pasión carecían, en este poeta, de angustia y de gesto patético. Mas concedamos que mantienen cierta ansiedad interrogativa y, en ocasiones, notoria inquietud frente a sí mismo y frente a los azares de un destino que tal vez se encuentre, ignorándolo los interesados, en manos de los personajes:

[1] *Ibidem.*

59

La forma de querer tú
es dejarme que te quiera.
El sí con que te me rindes
es el silencio. Tus besos
son ofrecerme los labios
para que los bese yo.
Jamás palabras, abrazos,
me dirán que tú existías,
que me quisiste: jamás.
Me lo dicen hojas blancas,
mapas, augurios, teléfonos;
tú, no.
Y estoy abrazado a ti
sin preguntarte, de miedo
a que no sea verdad
que tú vives y me quieres.
Y estoy abrazado a ti
sin mirar y sin tocarte.
No vaya a ser que descubra
con preguntas, con caricias,
esa soledad inmensa
de quererte sólo yo.[1]

La pasividad de la amada y la tremenda
soledad del amante, levantan entre ellos un
muro mágico, cuya caída, al soplo de leve
pregunta, acarrearía la ruptura de un encanto
de segundos o siglos, porque hay un tiempo
indefinido, susceptible de alargarse sobre el
lento lomo de los años o de abreviarse en
momentos de intensísimo sentir. Y ambas

[1] De *La voz a ti debida* (1933).

concepciones de lo temporal son parte de esa nebulosa realidad, quizá de ese soñar frenético que nos envuelve.

En este oscuro, subconsciente espacio del amor, alguna vez el poeta se empeña en encontrar lo auténtico, lo existente al otro lado de las altas murallas. Entonces exclama:

> Para vivir no quiero
> islas, palacios, torres.
> ¡Qué alegría más alta;
> vivir en los pronombres!
>
> Quítate ya los trajes,
> las señas, los retratos;
> yo no te quiero así,
> disfrazada de otra,
> hija siempre de algo.
> . . . .
> Y cuando me preguntes
> quién es el que te llama,
> el que te quiere suya,
> enterraré los nombres,
> los rótulos, la historia.
> . . . .
> Y vuelto ya al anónimo
> eterno del desnudo,
> de la piedra, del mundo,
> te diré:
> "Yo te quiero, soy yo." [1]

[1] *Ibidem.*

En otras ocasiones Salinas adelgaza el ámbito pasional reduciéndolo a estrechísimos conceptos. A una especie de ascetismo amoroso. Una pura y simple renuncia a vivir cualquier aspecto de la existencia no incluído en la isla de su yo:

> La luz lo malo que tiene
> es que no viene de ti.
> Es que viene de los soles
> de los ríos, de la oliva.
> Quiero más tu oscuridad.
>
> . . . .
>
> ¡Qué hermoso el mundo, qué entero
> si todo, besos y luces,
> y gozo,
> viniese sólo de ti! [1]

Para encontrar en la poesía peninsular un tratamiento del amor tan refinado e intenso deberíamos volver muy atrás. Quizá nadie haya sabido entre nosotros conceder a ese sentimiento tan exquisita y delicada diafanidad.

Los dos poetas citados —Guillén y Salinas— me parecen ejemplificar suficientemente la primera tendencia poética, de las por mí

[1] *Ibidem.*

aludidas, en la generación del año 20. No he negado que en esta poesía exista un contenido intelectual. Pero lo intelectual se da en los dos poetas por añadidura. Es decir, son intelectuales a pesar de ser poetas. Y por aquella condición rechazan lo que, en otros sincero, resultaría falso en ellos. Lo descomedido y gesticulante. El elemento trágico y melodramático. Cuando nos anima una alegría interior que nada puede velar —caso de Guillén— o a lo menos una íntima conformidad con nuestro ser —caso de Salinas— no hay para qué sacar las cosas de quicio.

Inmanencia, ciertamente. Valla contra el popularismo. Versos para *élites*. Tal vez poesía hecha y pensada para el propio cantor. Para lograr una lírica de esta especie basta estar de acuerdo consigo mismo y no se necesita postular el aplauso de los más o de los menos. Pero, sea como fuere, nadie osaría tildar a estos escritores de "oscuros". Su complejidad queda vertida en palabras transparentes, parecidas a una mañana de mayo. Ahí están no para ser explicados, sino para ser sentidos. Libres de cualquier preocupación ambiental. Rebosantes de optimismo. Seguridad en el mundo circundante, certeza en el espíritu que no permite, ni por un solo segundo, transformar la ansiedad en angustia.

63

Para completar mi resumen hay todavía algo que decir. Los acontecimientos desarrollados en España a partir de 1936 y en el mundo entero desde el 39, han desviado la línea del pensamiento contemporáneo. La inseguridad general, la ruina y los múltiples signos calamitosos anunciadores de que las catástrofes bélicas no pueden estimarse epílogo sino prólogo para otras mayores, han levantado en los confines del universo un sentimiento angustiado. Una incesante resurrección de la muerte apocalíptica. Y si la tragedia ha invadido el corazón humano, pesará más sobre aquellos cuya abierta sensibilidad esté alerta entre minúsculas vibraciones. Si a esta catástrofe común se suma el dolor de un éxodo, probablemente definitivo para muchos españoles, la vivencia de una poesía peninsular en el destierro, que destila angustia por sus siete llagas, es inevitable.

Guillén y Salinas lo comprueban, aunque en esta isla rodeada de llanto se aferren a sus características pasadas. No cayeron, ni era de esperar lo hicieran, en la tentación de componer poesía fácil, de circunstancias. Son, más bien, las circunstancias las que les han llevado a derivar a otro tipo de poesía. Y por milagro lírico han superado dificulta-

des y escollos al triunfar de la tremenda
prueba.

Así Guillén exclama:

Tostada cima de una madurez,
Espléndida la tarde con su espíritu
Visible nos envuelve en mocedad.

Así te yergues tú, para mis ojos
Forma en sosiego de ese resplandor,
Trasluz seguro de la luz versátil.

Si aquellas nubes tiemblan a merced,
Un día, de un estrépito enemigo,
Mescolanza de súbito infernal,

Oscurecidos y desordenados
Penaremos también. Y no habrá alud
Que nos alcance en la ternura nuestra.

Esos árboles próceres se ahincan
Dedicando sus troncos al cenit,
A un cielo sin crepúsculos de crimen.

Si tal fronda perece fulminada,
Rumoroso otra vez igual verdor
Se alzará en el olvido del tirano

Y pasará el camión de los feroces.
Castaños sin Historia arrojarán
Su florecilla al suelo —blanquecino.

Un ámbito de tarde en perfección
Tan desarmada humildemente opone,

Por fin venciendo, su fragilidad

A ese desbarajuste sólo humano
Que a golpes lucha contra el mismo azul
Impasible, feroz también, profundo.

Fugaz la Historia, vano el destructor.
Resplandece la tarde. Yo contigo.
Eterna al sol la brisa juvenil.

Tarde mayor[1]

El poeta —como motivo— coteja a Cervantes: "libre nací, y en libertad me fundo". Es decir alejado, rechazado, perseguido, el hombre se obstina en no renunciar a su visión serena de las cosas. Y frente al tesoro de esta realidad presente, del momento, los hechos liman su perfil agresivo, insolente, y se convierten en cosa pasajera, deleznable. Porque la libertad esencial es la creadora, la que nos permite transformar lo existente. "No habrá alud que nos alcance en la ternura nuestra." Aunque el mismo alud arrastre las totalidades exteriores que, si se consideran como objetivamente vanas y subjetivamente modificables, podrán ser reemplazadas porque lo fundamental del ser —la ternura—, persevera. Y al perseverar mantiene despierta

[1] Publicado primero en *El Hijo Pródigo*, n⁰ 15, México, 1944.

la cualidad de recrear lo desaparecido y de recrearnos en nuestra creación.

En cuanto a Salinas, también ha echado su cuarto a espadas en poesía que pudiéramos denominar "del éxodo y del llanto", parafraseando a León Felipe. En *Cuadernos Americanos*,[1] apareció un largo poema suyo —*Cero*—, inmerso en esa tónica de desastre, de aturdimiento, de aterrada sorpresa, propia del instante:

> Invitación al llanto. Esto es un llanto,
>   ojos, sin fin, llorando,
> escombrera adelante, por las ruinas
>   de innumerables días.
> Ruinas que esparce un cero —autor de nadas,
> obra del hombre—, un cero, cuando estalla.

Tras esta iniciación de la muerte, el heraldo de mayores hecatombes asoma sobre la baja tierra, esfera inerte, atónita, con sospecha de planeta deshabitado:

> Pero esa altura tan alta
> que ya no la quieren pájaros,
> le ciega al querer su causa
> con mil aires transparentes.
> Invisibles se le vuelven
> al mundo delgadas gracias:
> la azucena y sus estambres,

[1] III, 5, 1944. Incluído en *Todo más claro y otros poemas* (Buenos Aires: Sudamericana, 1949), pp. 135 *ss*.

colibríes y sus alas,
las venas que van y vienen,
en tierno azul dibujadas,
por un pecho de doncella...

Apuntar a la diana de la tierra, desde más arriba de las estrellas, para no ver el dolor ni sentir el grito. Subir, siempre más allá, del lado de la constelación de Hércules, donde no lleguen salpicaduras de sangre. Más adelante, la embriaguez asesina se pregunta:

¿Se puede hacer más daño, allí en la tierra?
Polvo que se levanta de la ruina,
humo del sacrificio, vaho de escombros
dice que sí se puede. Que hay más pena.
Vasto ayer que se queda sin presente,
vida inmolada en aparentes piedras.

Este infierno de vidas truncadas, de rotos recuerdos, de campos suprimidos es su único compañero:

Sigo escombro adelante, solo, solo.
Hollando voy los restos
de tantas perfecciones abolidas.

Aquel Salinas de trayecto parabólico, que regresaba siempre a sí mismo, a su particular universo solitario, se halla ahora perseguido por legiones de soledades definitivas, irremediables, audazmente invasoras de la suya.

Soledades sin memoria del ayer ni esperanza
en el mañana. Termina:

> Soy la sombra que busca en la escombrera.
> Con sus siete dolores cada una
> mil soledades vienen a mi encuentro.
> Hay un crucificado que agoniza
> en desolado Gólgota de escombros,
> de su cruz separado, cara al cielo.
> Como no tiene cruz parece un hombre.
> Pero aulla un perro, un infinito perro
> —inmenso aullar nocturno ¿desde dónde?—,
> voz clamante entre ruinas por su Dueño.

Muchos encontrarán mis juicios anteriores
en plena contradicción con estas producciones.
Me remito a lo dicho sobre la línea tajante
marcada por el año 36. Por otra parte, la
contradicción es más aparente que verdadera,
pues los citados poemas, probablemente, no
representan sino el obligado paréntesis en la
lírica de Guillén y Salinas. Un asunto triste,
un tema de elegía, puede ser glosado por
poetas no forzosamente elegíacos. Además,
la seguridad de Guillén en la plenitud de su
ser, su bravura ante el destino adverso, y
la contemplación estoica de un apocalipsis,
en el caso de Salinas, serían reacciones nor-
males en ambos. Sin gesticulaciones inútiles
ni desgarramiento teatral de vestiduras. Víc-
timas y testigos de unos hechos trascendentes

y gravísimos, precipitados en tormenta cicló-
nica, ambos conservan una dignidad sin as-
pavientos. Dignidad de quienes no exigen
por su valor retribución alguna ni se des-
vían hacia esa especie de fácil demagogia
poética que algunos no han sabido o podido
evitar.[1]

---

[1] Existe alguna bibliografía crítica sobre Jorge
Guillén. Un estudio serio de ciertos aspectos de su
lírica lo hacen F. A. Pleak en *The poetry of Jorge
Guillén* (Princenton, N. J., 1942); Joaquín Casal-
duero, *Jorge Guillén, "Cántico"* (Santiago de Chile:
Cruz del Sur, 1946), y Ricardo Gullón y José Manuel
Blecua, *La poesía de Jorge Guillén* (Zaragoza: Heraldo de Aragón, 1949).—Sobre Pedro Salinas tal vez
lo más concienzudo que se ha escrito sean los artícu-
los de Leo Spitzer, "Conceptismo interior de Pedro
Salinas" y de Ángel del Río, "El poeta Pedro Salinas: vida y obra", ambos publicados en la *Revista
Hispánica Moderna*, vol. VII.

V

SUBLIMACIÓN DE ELEMENTOS POPULARES

Al lado de Guillén y Salinas y coetáneos con ellos, surgen otros dos poetas, de estirpe andaluza esta vez. De mayor flexibilidad que aquéllos, desde sus primeros pasos aparecen inmersos en un estilizado folklorismo. En vena localista que no debía tardar en expandirse y adquirir amplitud. Ambos poseen la riqueza imaginativa, la vivacidad propia de su tierra y ambos, también, comienzan a considerar la poesía en función del paisaje y del ambiente o, mejor dicho, de una peculiar y personal interpretación de los elementos exteriores. Anteriormente afirmamos la existencia de dos tonos poéticos consustanciales con la lírica hispánica. Dos tonos mayores. El castellano y el andaluz. Pero, dentro de este último, nos será forzoso realizar, igualmente, otra distinción. Porque así como la Geografía nos brinda una Andalucía doble, hallamos una doble expresión estética que la denuncia.

La baja Andalucía —llanuras, ríos, marismas— resuena ancha y abierta en un aire poblado de naranjos. Su horizonte se curva en invitación a la lejanía. Sus flechas apuntan al Océano. Desbordada sobre la tierra y el mar. La otra Andalucía —montaña, valle, costa brava— limita su paisaje horizontal y se repliega sobre tesoros inéditos. Por encima de las sierras altoandaluzas las breves brisas giran en torno a los olivos y su cadencia se pierde más arriba de los picos nevados. Un pueblo —crisol de razas y culturas— ha acumulado milenios de civilización en las dos vertientes andaluzas. Ha hecho una poesía del lenguaje diario y no poesía de cualquier clase, sino de la especie más lograda y límpida. En los gustos y estilos de esa comunidad humana se encuentra tal grado de depuración que, en rigor, no puede hablarse de "popularismo", dándole el significado de arte de mayorías. Lo popular en Andalucía es, a fuerza de siglos y de pulimento, complejo, simbólico, refinado. Y si, sobre la previa estilización popular, se establece una nueva y más estricta selección temática y expresiva, el arte y la poesía conseguirán, como de hecho acaece, una densidad rara o imposible en otras latitudes.

Dentro de los antedichos postulados pudiéramos considerar a Rafael Alberti y a Federico García Lorca en el plano de representantes de un intento popularista en la poemática de su generación. Pero —y esto era algo de inevitable ocurrencia— la gravitación de sus Andalucías respectivas pesa sobre ellos y sus estrofas, traduciendo la calidad individual de cada una.

Rafael Alberti, en un principio, se nos muestra gracioso, alegre, despreocupado, errante, deseoso de andar, abiertos los ojos a un mundo coloreado y lleno de promesas. Como Juan Ramón Jiménez[1] le escribiera —en una carta que prologa el libro *Poesía*— los versos de Alberti son:

Poesía "popular", pero sin acarreo fácil; personalísima; de tradición española, pero sin retorno innecesario; nueva, fresca, acabada y a la vez rendida, ágil, graciosa, parpadeante, andalucísima.

Hay en el poeta, en sus primeros años, un irrefrenable afán vital que lo trae y lo lleva. Gozo de andar, de deambular, entre el pueblo y el paisaje, recogiendo alerta los signos poéticos a uno y otro lado del camino y conjugándolos en palabras vibrantes de encantadora musicalidad, en las cuales los metros españoles recobran su ancestral prestigio:

Si mi voz muriera en tierra,
llevadla al nivel del mar

[1] Rafael Alberti, *Poesía* (Madrid, 1934).

y dejadla en la ribera.

Llevadla al nivel del mar
y nombradla capitana
de un blanco bajel de guerra.

¡Oh, mi voz condecorada
con la insignia marinera:

sobre el corazón un ancla
y sobre el ancla una estrella
y sobre la estrella el viento
y sobre el viento la vela!
                                    Marinero en tierra[1]

Se aprecia aquí un propósito de prestar alas al verso. De aliviarlo de todo inútil lastre. Hacerlo tan directo como una copla y, a la vez, dotarlo de ese sentimiento de vaga nostalgia, sobresaliente en el canto común de Andalucía. Además, desde el punto de vista externo, el poema usa con la más extraordinaria fortuna los antiguos recursos de la lírica anónima. Repeticiones que aumentan, progresivamente la eficacia estética, manejo magistral del octosílabo, fidelidad al tema, como en una endecha marinera de los

[1] De *Marinero en tierra* (1924). Todos los versos de Alberti que citamos están recogidos también en *Poesía,* ob. cit., excepto los que lleven otra indicación.

puertos del Sur, pero en la que sabiamente se
introducen imágenes cuya dificultad se disimu-
la dentro de la aparente sencillez general. En
otro ejemplo del mismo tipo el vate errante
regala sus recuerdos marinos a los severos
ríos de la meseta y la estepa, como si qui-
siera unirlos a su ansia viajera, convencerlos
de la luminosa grandeza de las olas:

> Verdes erizos de mar.
> Dos, puntiagudos y fieros.
> El uno para ti, Duero.
> Duero, para ti, de mí.
>
> El otro ya no está aquí
> que vive, alegre, en el Ebro.
>
> Ebro, para ti, de mí.
>   *Aranda de Duero*[1]

Mas la arriba reseñada es tan sólo la
primera fase de Alberti. Al salir de la contemplación del mar y de la tierra y dejarse
aprisionar por la gran ciudad automática, su
reacción, francamente humorista en los cho-
ques iniciales, se torna, poco a poco, amarga
y dolorosa.

Antes de entrar por completo en la nueva
vía, observamos en él algo semejante a una

[1] De *La amante* (1925).

transición, sembrada de presagios y nostalgias, cuyo mejor exponente es quizá *La Húngara:*

> Quisiera vivir, morir,
> por las vereditas, siempre.
>
> Déjame morir, vivir,
> deja que mi sueño ruede
> contigo, al sol, a la luna,
> dentro de tu carro verde.

El fuerte tono de deseo y aventura de estas estrofas se complementa con la interrogante ansiedad de las últimas:

> ¿Por qué vereda se fué?
> ¡Ay, aire, que no lo sé!
>
> ¿Por la de Benamejí?
> ¿Por la de Lucena o Priego?
> ¿Por la de Loja se fué?
> ¡Ay, aire, que no lo sé!
>
> Ahora recuerdo: me dijo
> que caminaba a Sevilla.
> ¿A Sevilla? ¡No lo sé!
> ¿Por qué vereda se fué?
> ¡Ay, aire, que no lo sé!
>
> *La húngara*[1]

En esta encrucijada de rumbos andaluces

---

[1] De *El alba del alhelí* (1925-1926).

se pierde el objeto del amor y con él —simbólicamente— la precisión de vivir atado a ese paisaje de infinitos caminos.

En otras ocasiones el adiós a la tierra natal suena como toque virtuosista de guitarra:

> Llévame, viento andaluz,
> a casa de Jean Cassou.
>
> Andaluces y franceses
> se dan la mano en Sevilla,
> mientras en la manzanilla
> yerven las *ges* y las *eses*.
> Para a los tontos ingleses
> ver bailar el marabú:
> arranca, viento andaluz,
> de París, a Jean Cassou.
>
> El inglés, con la morena
> que le birla los monises,
> en los toros compra anises
> y jarabe en la verbena.
> Si el Guadalquivir y el Sena
> se hablan, borrachos, de tú:
> llévame, viento andaluz,
> a casa de Jean Cassou.
>
> *A Jean Cassou*[1]

La gracia, la agilidad y la mezcla de elementos en este poema hacen de él una pequeña obra maestra en la que hay que notar

[1] De *El alba del alhelí*, cit.

la versificación perfecta, melodiosa y flúida, que constituye otra de las más salientes características de Alberti.

A la segunda etapa, que antes llamamos de humorismo aparente, con sus ribetes superrealistas, pertenecen composiciones de muy distinta índole:

> Robada por un pez de acero y lona
>   tú, sin malló, dormida,
> diste contra una estrella que, escondida,
>   rondaba a Barcelona.
>
> ¡Susto en la luz! Teléfonos fundidos.
>   A los timbres, disparos.
> El giratorio idioma de los faros,
>   los vientos, detenidos.
>
> Y una voz, buzo negro, disfrazada
>   y en taxi, solicita
> volarte el corazón con dinamita.
>   ...Mas tú ilesa, sin nada.
>
> *Atentado*[1]

Poco queda aquí que recuerde a *Marinero en Tierra*, si no es la creciente maestría del autor. La etapa de concesiones a la moda se cierra, en ese período, y se abre una de materia trascendental en cuya manifestación inicial —*Sobre los Ángeles*—, según Salinas,

[1] De *Cal y canto* (1926-1927).

se percibe lo que llamaríamos un temblor medieval, una visión del mundo angustiosa y siniestra donde la ceniza y el oro se combinan como los ángeles de la pintura románica.[1]

Ilustremos la referencia:

No, no te conocieron
las almas conocidas.
Sí la mía.

¿Quién eres tú, dínos, que no te recordamos
ni de la tierra ni del cielo?

Tu sombra, dínos, ¿de qué espacio?
¿Qué luz la prolongó, habla,
hasta nuestro reinado?

¿De dónde vienes, dínos,
sombra sin palabras,
que no te recordamos?
¿Quién te manda?
Si relámpago fuiste en algún sueño,
relámpagos se olvidan, apagados.

Y por desconocida,
las almas conocidas te mataron.
No lo mía.

Los ángeles vengativos[2]

Estos ángeles del bien y del mal que habitan el verso y el pensamiento de Alberti,

[1] *Literatura Española Siglo XX*, ob. cit., 1ª ed., p. 287.
[2] De *Sobre los ángeles* (1927-1928).

demuestran la profunda evolución de su espíritu hacia una religiosidad quizá mal centrada, que concluye lo que él mismo ha definido —en el prefacio de *Poesía*— como "contribución mía, irremediable, a la poesía burguesa". Y más adelante, en el referido prefacio, agrega: "A partir de 1931 mi obra y mi vida están al servicio de la revolución española y del proletariado internacional."

Esta actitud final de Rafael Alberti, la de quemar sus naves y abominar de cuanto hasta entonces había adorado, la creo profundamente sincera y dictada por un estado de conciencia que no podemos entrar a analizar aquí. Pero, de haber sido cierto, por respetable que continuara siendo el hombre, el poeta habría cesado de pertenecerse. Algunos fragmentos poéticos llegados a mis manos con su firma, denotan una extraña desorientación estética en su lírica. No querría yo que mi afirmación se interpretase en el sentido de que determinadas ideas políticas hubieren de originar una especie, más o menos elevada, de versos. Nada de eso. Escasos son los poemas modernos escritos en español que resistan comparación con la *Canción de Stalingrado*,[1]

[1] La *Canción de Stalingrado*, compuesta en 1943, fué publicada en casi todos los periódicos literarios

de Pablo Neruda, absolutamente hija de las circunstancias y dictada por una tendencia política. Pero, aunque no comulguemos de plano con la teoría del arte por el arte, habremos de confesar que la poesía, a semejanza de cualquier otra manifestación del espíritu, no puede, por acto exclusivo de la voluntad, colocarse al servicio de nadie ni de nada sin acarrear una suerte de infidelidad. La sensibilidad artística no fluye en determinadas direcciones por obligación ineludible. Los hechos que, verdaderamente, la conmueven y dotan de un feliz estado de tensión, no son siempre los mismos ni, por otra parte, obedecen a idénticos estímulos. En esto, como en todo fenómeno humano de categoría superior, la lógica no rige. Y por ello sufre la calidad de la creación estética que depende de fuerzas misteriosas, intuitivas, sobre las que sólo un relativo dominio puede ser ejercido por el artista.

Por suerte para Alberti y para el arte, no cayó el poeta en la servidumbre que pretendía. Por encima de sus deseos de encauzarse en nueva senda, el antiguo Alberti se sobrepuso a toda definición —o limitación— pre-

de Hispanoamérica o, a lo menos, comentada. Una versión muy cuidada es la aparecida en el suplemento literario del *Tiempo* (Bogotá, septiembre de 1943).

establecida. Prueba suficiente de ello nos
brinda esta composición:[1]

> Duras las tierras lejanas.
> Ellas agrandan los muertos,
> ellas.
>
> Triste, es más triste llegar
> que lo que se deja.
> Ellas agrandan el llanto,
> ellas.
>
> Cuando duele el corazón,
> callan ellas.
> Crecen hostiles los trigos
> para el que llega.
>
> Si dice: —Mira qué árbol
> como aquél. . .
>   Todos recelan.
>
> ¡El mar! ¡El mar! ¡Cuántas olas
> que no regresan!

Desde luego se echa de menos aquí el
ágil juego de metáforas a que Alberti nos
tenía acostumbrados. Tampoco el verso posee la sal sonriente o el humorismo burlón
de su primera poesía. Ni, por supuesto, la
profunda belleza de *Sobre los ángeles*. Pero
ésta es otra experiencia, más humana que

---

[1] *Pleamar*, Buenos Aires, 1944.

estética. Hemos vivido, y vivimos, su terrible exactitud. Y ahora el sentimiento de Alberti tiene la sinceridad de las lágrimas, ni compartidas, ni enjugadas por nadie en la cerrada hostilidad, en la amurallada indiferencia de las tierras exóticas. Dice en otro lugar:

. . . .
Nuevo, incógnito horario.
Trueque de meses, cambio de estaciones.
Sé las lunas, los vientos, sé la grama;
sin vacilar, los toros boreales;
de memoria, el herbario
de las constelaciones
mías, tan sólo mías,
natales.

Sé la tristeza de los buenos días.
                          Hemisferio Austral[1]

Completo ya el mundo nuevo, sólo sirve para avivar nostálgicos rescoldos en remotos horizontes de pena:

. . . .
Puedes gritar, desgañitarte a lloros,
hasta erguir, llanto a llanto, grito a grito,
tanta desmantelada, hermosa vida.
Ya el viento nos espera en los adarves,
desde donde la mar ilesamente
planta de azul sus aterrados límites.

[1] *Op. cit.*

83

¿Quién más que el mar, quién más que la mar alta
puede poner caballo a la desdicha
y una daga de sal entre los dientes?

Ante nosotros, las cerradas puertas.
Este es el escabel, el seco filo
inicial de la entrada, la cuchilla
para los pies, que tienden los umbrales.
Cuida. . .

Puertas cerradas[1]

En verdad no era ésta la clase de poesía proletaria contra la cual hablábamos. Y si, en la intención de Alberti, lo es, no tendremos más remedio que aceptarla con el corazón ligero y confesar su altura en la escala de valores estéticos y humanos de nuestro tiempo.

Federico García Lorca representa, según advertimos, la otra cara del Hermes andaluz. Una cara, valga la redundancia, bastante más hermética que la anterior. El sentimiento de elevación y contraste de la Andalucía alta nace de los límites abreviados del horizonte. Horizonte mordido por los agudos dientes de las cordilleras o empujado por el suave y firme ondular de las colinas. Alguien la ha definido —por contraposición a la clara y abierta planicie bética— como la "Andalucía del Llan-

[1] *Ibid.*

to". En su inquieta atmósfera se suspenden recuerdos condensados, más tarde, en trágicos nubarrones. Tragedia inevitable. Tragedia cósmica de las rocas amontonadas o pequeña y singular tragedia de la rosa prisionera en su jardín. Por esa cualidad dramática, siempre presente, que García Lorca supo percibir en todo su volumen, el poeta granadino llevaba implícito al genial dramaturgo. Romances y canciones ofrecen aspecto de piezas teatrales concentradas, susceptibles de ulterior desarrollo escénico. Esos romances y canciones pretenden comprender y explicar una raza y su destino valiéndose del exponente gitano. La propia existencia del gitanismo constituye un poema en sí. Tanto más cuanto que, impregnados de andalucismo, los gitanos confunden su gracia castiza con la de la patria adoptiva. La pasión andaluza resuena en la copla gitana, en la danza, en la guitarra y, naturalmente, en el amor. Pasión de "bronce y sueño" que tropieza, como de costumbre, con las aceradas aristas de la razón, del orden. Aventura gitana contra la simétrica formación militar de la Guardia Civil. Drama colectivo y, también, individual. Drama de una raza luchando contra una época. Tragedia de un mundo que, rabiosamente, persiste en acusar los perfiles de su silueta y se entrega no solamente a la pasión externa, sino a la pasión de soñarse, de proyectarse hacia adentro, cerrada, indomablemente.

El supremo intérprete de este conjunto, Federico García Lorca, inició su carrera poética navegando por las lagunas íntimas de su corazón. Sus primeras publicaciones[1] se refieren a una labor de autodescubrimiento, con salidas esporádicas hacia afuera. Salidas cuajadas de sorpresas, de reminiscencias infantiles y de cariño por las cosas infinitamente simples y diminutas que, sin embargo, ofrecen inmensas posibilidades líricas:

> Se ha llenado de luces
> mi corazón de seda,
> de campanas perdidas,
> de lirios y de abejas,
> y yo me iré muy lejos,
> más allá de esas sierras,
> más allá de los mares,
> cerca de las estrellas,
> para pedirle a Cristo,
> Señor, que me devuelva
> mi alma antigua de niño,
> madura de leyendas,
> con el gorro de plumas
> y el sable de madera.
>
> *Balada de la placeta*[2]

[1] *Libro de poemas* (Granada, 1921).

[2] Federico García Lorca, *Obras completas* (Buenos Aires: Losada, 1938), vol. II.

Aquí encontramos ya definida, y más claramente que en parte alguna, la primitiva aspiración de Federico. Romper el cerco, la ligadura que le ata al encanto de un paisaje de flores y susurros. Pedir a Dios su viejo tesoro secular y escapar por encima de las sierras para ir cantando, por campos y ciudades, la gloria remota de la infancia y de aquel ambiente edificado sobre realidades imaginarias.

Cuando Federico dobla la página poética con sus "canciones", introduce notable cantidad de paisaje y de acción. Son preponderantemente descriptivas, ceñidas aún a lo pequeño, menudo y local, Efectúa, entonces, un visible esfuerzo para dominar su imaginación y enfocarla sobre determinados aspectos. Por otra parte, recoge motivos populares, a veces coplas, que, con suprema elegancia, transforma en construcciones maravillosas. En muchas de ellas la acción anuncia lo que habrían de ser los romances publicados con alguna posterioridad:

> Córdoba.
> Lejana y sola.
>
> Jaca negra, luna grande,
> y aceitunas en mi alforja.
> Aunque sepa los caminos,
> yo nunca llegaré a Córdoba.

Por el llano, por el viento,
jaca negra, luna roja.
La muerte me está mirando
desde las torres de Córdoba.

¡Ay qué camino tan largo!
¡Ay mi jaca valerosa!
¡Ay que la muerte me espera,
antes de llegar a Córdoba!

Córdoba,
lejana y sola.

Canción de jinete[1]

La tragedia, florecida más adelante en su poesía con toda plenitud, se anuncia ya en el afán tantálico de alcanzar, antes que la muerte sobrevenga, lo que tan cerca se halla, el espejismo de la ciudad remota. Caballo, torre, aceitunas, luna, muerte, vocablos que se repetirán a menudo en los romances, forman como una cadena simbólica en la visión andaluza de Federico. En esta canción, reveladora de un dramático *pathos*, se hace gala de una técnica sintética, rápida, impresionista, a base de puras pinceladas y llena de expresiones angustiosas que avanzan hasta un clímax.

[1] Federico García Lorca, *Canciones* (Málaga: Litoral, 1927).

En ocasiones, y como gustaban de hacer Lope de Vega y Góngora, se repliega para cantar un motivo popularísimo:

> Arbolé, arbolé
> seco y verdé.
>
> La niña del bello rostro
> está cogiendo aceituna.
> El viento, galán de torres,
> la prende por la cintura.
> . . . .
> *Arbolé, arbolé. . .*[1]

En otros poemas, como en su primer libro, continúa en trance de descubrirse:

> En la mañana verde,
> quería ser corazón.
> Corazón.
>
> Y en la tarde madura
> quería ser ruiseñor.
> Ruiseñor.
>
> (Alma,
> ponte color naranja.
> Alma,
> ponte color de amor.)
> . . . .
> *Cancioncilla del primer deseo*[2]

[1] *Op. cit.*
[2] *Ibid.*

Uno de los críticos más serios de García Lorca, Edwin Honig, piensa que estos poemas intentan encontrar una vida instintiva en las cosas, llenas de sugestiones, que rodean al poeta. En ellos están ya implícitos, según Honig, los símbolos de tiempo, lugar y muerte necesarios para un drama de mayor envergadura. Y cree dicho crítico que al descubrirlos se ha de clarificar la forma y además se rompe con el modo tradicional y convencional de tratar literariamente los temas aludidos, colocándolos en una nueva perspectiva.[1]

El *Romancero gitano*[2] no constituye, a mi juicio, la mejor obra de García Lorca; pero sobre ser la que mayor fama le ha dado, es el intento más extraordinario llevado a cabo por un poeta en nuestros tiempos. Se trata, nada menos, que de estructurar la epopeya de un pueblo errante. Y, si bien se mira, hay en el libro una profunda intención épica sumergida bajo poderosísima corriente de metáforas in-

[1] *García Lorca* (Norfolk, Conn.: New Directions Books, 1944), p. 64.

[2] Federico García Lorca, *Romancero gitano*. Existen infinitas ediciones. La primera fué hecha en 1928 por la Ed. Revista de Occidente. Por esta época, y mucho antes de editarse, los romances eran ya muy conocidos.

90

igualables, afortunadísimas, de lirismo casi violento. En ellas se mezclan folklorismo, dramatismo, descripciones y caracteres al amparo del metro octosílabo y de una combinación tan eficaz como el romance para este género de empeños narrativos. Las imágenes resultan tan conseguidas como las más cultistas del gongorismo y, por raro milagro, conservan intangible sabor local, popularismo folklorista. El localismo en ellas corre parejas con la complejidad, pero, a pesar de esto, mantienen intacta su frescura y gracia:

La tarde loca de higueras
y de rumores calientes,
cae desmayada en los muslos
heridos de los jinetes.

Reyerta[1]

Pero sigue con sus flores
mientras que de pie, en la brisa,
la luz juega el ajedrez
alto de la celosía.

La monja gitana[2]

El día se va despacio
la tarde colgada a un hombro
dando una larga torera
sobre el mar y los arroyos.

Antoñito el Camborio[3]

[1] *Op. cit.*
[2] *Ibid.*
[3] *Ibid.*

Menos sorprendentes nos resultarán estas difíciles metáforas repletas de jugo granadino y andaluz, al compararlas con el verismo de los diálogos, en los cuales aparecen preocupaciones, creencias, rivalidades, y en los que la muerte acecha el momento propicio de clavar su garra. El propio autor, a veces, participa en ellos como un personaje más:

> —Antonio Torres Heredia,
> Camborio de dura crin,
> moreno de verde luna,
> voz de clavel varonil:
> ¿Quién te ha quitado la vida
> cerca del Guadalquivir?
> —Mis cuatro primos Heredia,
> hijos de Benamejí.
> Lo que en otros no envidiaban,
> ya lo envidiaban en mí.
> Zapatos color corinto,
> medallones de marfil
> y este cutis amasado
> con aceituna y jazmín.
>
> *Muerte de Antoñito el Camborio*[1]

A menudo tales descripciones se complican en un verdadero torbellino de estampas y de hechos:

> Los caballos negron son.
> Las herraduras son negras.
> Sobre las capas relucen

[1] *Ibid.*

manchas de tinta y de cera.
Tienen, por eso no lloran,
de plomo las calaveras.
Con el alma de charol
vienen por la carretera.
Jorobados y nocturnos,
por donde animan ordenan
silencios de goma oscura
y miedos de fina arena.
Pasan, si quieren pasar,
y ocultan en la cabeza
una vaga astronomía
de pistolas inconcretas.

Romance de la Guardia Civil española[1]

La elegancia de las descripciones es in-imitable:

San Miguel, lleno de encajes
en la alcoba de su torre,
enseña sus bellos muslos
ceñidos por los faroles.

Arcángel domesticado
en el gesto de las doce,
finge una cólera dulce
de plumas y ruiseñores.

San Miguel[2]

En estas composiciones el poeta ha perdi-do toda previa actitud de reserva hacia lo

---

[1] *Op. cit.*
[2] *Ibid.*

exterior. Y si en el abandono de lo subjetivo, en aras de lo objetivo, para sentir al unísono de los demás, se encuentra la esencia del popularismo, no podríamos, en modo alguno, regatearle ese epíteto a García Lorca. Pero, de acuerdo con la tendencia de su generación, el autor atrae hacia él la masa y la eleva al nivel de su poesía. Además, en los romances, se encuentra ya absolutamente definida la vocación teatral del autor que, también, iba a renovar la escena española.[1] Los asuntos, diálogos e intensidad de los caracteres no requerían sino el desenvolvimiento que, posteriormente, habría de otorgárseles para convertirse en piezas de primer orden.

En los libros apuntados se entrevera lo barroco y lo romántico, y si hace de vez en cuando una salida al campo clasicista modernizado,[2] bien pronto renuncia a semejante ruta.

Los poemas de Nueva York,[3] en los que, dígase lo que se quiera, se echa de ver una

---

[1] No es mi intención analizar, ni siquiera de pasada, la obra dramática de García Lorca. A pesar de su enorme contenido lírico, considero esa tarea ajena, por completo, a los propósitos de mi ensayo.

[2] Cf. "Oda a Salvador Dalí", *Revista de Occidente*, Madrid, 1926.

[3] *Obras completas*, vol. vII.

notabilísima influencia de Walt Whitman, forman otro paréntesis en la línea poética lorquiana. Bien entendido, no pienso discutir las magistrales excelencias de aquel libro, pero afirmo que representa una nueva solución de continuidad en el seno de la inmensa epopeya a que Federico se consagra.

Claro está que cuando el autor sale de su mundo para sumirse en el barrio neoyorkino de Harlem se entrega, con toda su indomable vitalidad, al fascinador espectáculo. Su interés permanece pendiente de unos hombres que aún son paisaje y a él pertenecen. Hombres a quienes reclama la voz de la selva entre bocinas de automóviles y estrépito de rascacielos. Pero la selva se ha vuelto metálica y sus habitantes la pueblan de desesperación informe, de "trajes sin cabeza", de gritos y ansiedades sin brújula ni norte:

¡Ay, Harlem! ¡Ay, Harlem! ¡Ay, Harlem!
No hay angustia comparable a tus ojos oprimidos,
a tu sangre estremecida dentro del eclipse oscuro,
a tu violencia granate sordomuda en la penumbra,
a tu gran rey prisionero en un traje de conserje.
El Rey de Harlem[1]

Reino por el cual el escritor penetra gustoso, encantado, con la sensibilidad a flor de

---

[1] *Poeta en Nueva York* (1929-1930).

piel, develando otra raza ignorada, perseguida, gigantesca, tremenda. Gentes que le absorben la atención y el alma en un país todavía más absorbente: "la salvaje Norteamérica tendida en la frontera de la nieve", sobre cuyos confines se alza vigilante la figura de Whitman.

Pero, andaluz integral, García Lorca no tarda en regresar, tras la experiencia neoyorkina, a su centro poético. Un infortunado suceso —la cogida y muerte del matador Ignacio Sánchez Mejías, en la Plaza de Manzanares, por un toro de la ganadería de Ayala— origina, a mi juicio, la mejor y más lograda de sus obras, el *Llanto por Ignacio Sánchez Mejías*.[1] La intensa relación amistosa entre el autor y el torero obliga a García Lorca a entregarse de lleno a un dolor que, paulatinamente, va despojándose de matices personales. La elegía asciende a cimas objetivas en las que el sentimiento del cantor se transforma y adquiere maneras universales. El toro y el torero, empeñados en un juego de muerte, con la muerte y por la muerte, combaten contra el sino y se proyectan con dimensiones que me atrevería a calificar de religiosas. El toro deja

[1] Federico García Lorca, *Llanto por Ignacio Sánchez Mejías* (Madrid: Cruz y Raya, 1935).

de figurar como objeto de deporte. Se compenetra del misterio de los viejos cultos, tan antiguos como la misma historia.

Para comprender, en toda su esplendorosa plenitud, la tierra andaluza, la estampa del cornúpeto, alerta sobre la marisma, recortada entre el azul del cielo y el verde de los prados, lamida por las aguas del Guadalquivir, desafiante y gallarda, es —en toda su bravura y primitivismo— infinitamente más esencial que la del gitano caballista y muy anterior a ella. La mitología tartésica, borrosa de siglos, conserva difuminada la memoria del animal sagrado. Por las planicies béticas solía Gerión apacentar sus taurinos rebaños y a ellas vino Hércules a buscarlo, en cumplimiento de uno de los doce trabajos.

Por esta razón el *Llanto* no representa el drama de un hombre, ni de un grupo, ni de un pueblo, sino el drama de la historia de un país. En medio de variaciones sucesivas, impuestas por milenarias peripecias, queda el toro como ejemplo indestructible, como motivo central para una poesía ritual y simbólica. Hasta donde a mí se me alcanza, nadie había entendido la profundidad mística de esa agonía que el toro y el torero expresan con sin igual verdad poética. Entre la espada y los cuernos, Federico García Lorca supo sorprender los elementos lúdicos y agonales básicos en cualquier manifestación religiosa.

Las cuatro partes del poema consagrado a Sánchez Mejías tienen una calidad musical y lírica en crescendo. La hora, presagio fatal, se repite entre verso y verso, y como verso, durante toda la primera parte:

> A las cinco de la tarde.
> Eran las cinco en punto de la tarde.
> Un niño trajo la blanca sábana
> *a las cinco de la tarde.*
> Una espuerta de cal ya prevenida
> *a las cinco de la tarde.*
> Lo demás era muerte y sólo muerte
> *a las cinco de la tarde.*

Así continúa hasta terminar en un desesperado grito:

> ¡Ay, qué terribles cinco de la tarde!
> ¡Eran las cinco en todos los relojes!
> ¡Eran las cinco en sombra de la tarde!

A primera vista parecería que recurso tan monótono como esta repetida alternancia prestara a la elegía insufrible pesadez. Pero, por el contrario, en el constante recuerdo de la hora, en la aproximación del momento final a pasos de segundo, residen el efecto maravilloso, la eficacia estética, la densidad trágica de las estrofas.

Pasado el capítulo previo, ocurrida ya la
muerte del héroe y de su enemigo, el poeta
exclama, refiriéndose a la sangre del matador, "¡Que no quiero verla!", poniendo en los
pasajes siguientes toda la tremenda exaltación
de su dolor humano y repitiendo, como nuevo
estribillo, el expresado deseo de ausencia ante
la sangre. Pero, precipitándose las luces del
recuerdo en la mente del juglar, concluye con
el sin par elogio del difunto a través de su
silueta reconstruída:

> No hubo príncipe en Sevilla
> que comparársele pueda,
> ni espada como su espada
> ni corazón tan de veras.
> Como un río de leones
> su maravillosa fuerza,
> y como un torso de mármol
> su dibujada prudencia.
> Aire de Roma andaluza
> le doraba la cabeza
> donde su risa era un nardo
> de sal y de inteligencia.
> ¡Qué gran torero en la plaza!
> ¡Qué buen serrano en la sierra!
> ¡Qué blando con las espigas!
> ¡Qué duro con las espuelas!
> ¡Qué tierno con el rocío!
> ¡Qué deslumbrante en la feria!
> ¡Qué tremendo con las últimas
> banderillas de tiniebla!

Las banderillas, suerte taurina en que destacaba el amigo sacrificado, son ya "de tiniebla", pero la memoria de él, la reconstrucción del hombre, fuerte, sabio, leal, discreto, elegante, valiente, buen jinete, generoso, es luminosísima. Algo tan exacto y definitivo como el retrato que Jorge Manrique, casi quinientos años atrás, trazara de su padre, el Maestre Don Rodrigo. Pero, en el poeta de hoy, existe mayor apasionamiento, más vitalidad, mejor fibra, y en ningún vate español, ni antes ni ahora, tanta sobria elegancia, tan grande capacidad de sentimiento.

El metro largo y clasicista de las dos partes finales encierra una consideración estoica de la muerte, de fondo muy senequista, de bética e hispánica autenticidad. El autor se resigna a la atroz pérdida. Según asevera, como resultado de su meditación sobre el vivir, "también se muere el mar"; es decir —en pocas palabras—, se afirma lo perecedero de las glorias mundanales. Mas, como monumento ejemplar de virtudes, se despide del desaparecido con la siguiente estrofa:

Tardará mucho tiempo en nacer, si es que nace,
un andaluz tan claro, tan rico de aventura.
Yo canto su elegancia con palabras que gimen
y recuerdo una brisa triste por los olivos.

Ahí está contenida la esencia de la Andalucía lorquiana. Andalucía del llanto. De la "pena negra" de los gitanos. Llanto sin gesto y casi sin lágrimas. Llanto más doliente, por eso mismo, "de cauce oculto y madrugada remota". Llanto, en fin, de callada y silenciosa tragedia.

La visión andaluza de Rafael Alberti, alegre, cromática, ruidosa y un tanto convencional, completa a ésta, menos grácil y ligera, pero de más honda entraña, mayor firmeza y perdurabilidad. Eterna, como en los espacios siderales de la poesía lo serán por siempre los poemas de su intérprete máximo.[1]

Él ha otorgado a nuestra lírica una dimen-

---

[1] Al hablar anteriormente de la oposición o, mejor, diferenciación entre la Alta y la Baja Andalucía no he pretendido afirmar que los nacidos en una de ellas, por fatalidad, tengan que componer versos según determinado diapasón. Por el contrario, la mentalidad severa de un Herrera cuadraría más con la Alta y la risueña de los gongoristas granadinos de los siglos XVII y XVIII con la Baja. Pero en los casos de Alberti y Lorca, nacimiento y mentalidad coinciden. Claro que cuando cantan a Andalucía, ninguno de ellos la separa en partes, sino que la consideran como un todo. El lazo de unión entre Baja y Alta Andalucía se encuentra en el senequismo, donde tarde o temprano van a parar la inmensa mayoría de los escritores y los hombres andaluces.

sión realmente universal que le faltaba desde hace siglos. En él me he detenido más que en el resto de sus contemporáneos por creerlo el hombre de mayor prosapia poética, entre los españoles, desde Góngora a nuestros días.

Hay algo más que decir. Según el maestro Rafael Maya reconoce,[1] Federico García Lorca ha saldado, en un solo plazo, la inmensa deuda que nuestra lírica había contraído con la suramericana durante el pasado siglo y los comienzos del presente. Todo cuanto Rubén Darío nos prestara ha sido devuelto, con crecidos intereses, a esta otra ribera del Atlántico en la cual los meridianos de la cultura hispánica, un día vacilantes, se han consolidado poderosamente. De los puntales levantados por España en pro de esa consolidación no ha sido, por supuesto, el más débil la enorme contribución prestada por el excelso poeta granadino.

[1] Cf. Rafael Maya, "García Lorca", *Revista de las Indias,* Bogotá, marzo de 1937. Este concepto lo he visto recogido también por John A. Crow en su obra *Federico García Lorca* (Los Ángeles, 1945), libro, a mi parecer, muy completo y, fuera del ya citado de Honig, quizá el mejor de los estudios dedicados al poeta.

VI

CREACIONISMO
Y SUPERREALISMO

Vamos a enfrentarnos ahora con otro de los aspectos de la poesía española contemporánea. Aspecto que, sin ser enteramente ajeno a nuestra tradición estética, se halla más alejado de ella que los demás. En cierta medida significa una especie de concesión a la moda, o modas, de Europa. Sin embargo se aleja bastante del esnobismo puro, ya que mantiene la aspiración de lograr un nuevo plano estético y conseguir, en lo posible, "desrealizar" el arte.

Gerardo Diego y Vicente Aleixandre, los escritores más representativos del mencionado rumbo, se adhieren, respectivamente, el uno al creacionismo y al superrealismo el otro, sin que les falten a ambos otras diferentes influencias.

Gerardo Diego es un versificador inimitable. Así como García Lorca y Alberti revaluaron los antiguos metros y las combinaciones en asonante, de tipo irregular —romance, letrilla, canción, etc.—, él escribe décimas, sonetos y sextetos perfectos. Por otra parte, en esas composiciones, tan tradicionales en cuanto a la forma, se lleva a cabo una revolución inten-sa de fondo. Se persigue "el arte por el arte" y su total "deshumanización", en el sentido que Ortega y Gasset dió al vocablo. Si alguna vez se ha logrado una clase de poesía en la que la palabra, independientemente de consideraciones significativas, tenga, y man-tenga, densidad peculiar de elemento estético integral, ha sido en los poemas de Gerardo Diego. Su principal tarea, su primordial aspi-ración, consiste en versificar embriagándose con la melodía de las estrofas. Se trata de un juego cordial. De una actividad lúdica desin-teresada, sin más propósitos que el meramente poético, horro de toda pretensión de trascen-dencia. No obstante, este exquisito poeta de la nada no ha sabido permanecer enteramen-te fiel a sí mismo. Su única preocupación pa-recía ser la de pulir y repulir su estilo, su expresión, hasta alcanzar un grado insupera-ble de virtuosismo. Pero, evidentemente, al lado de estas formas, Gerardo Diego —desde antiguo— ha cultivado otras, menos ambicio-sas, menos "vanguardistas", como dirían mu-chos. También es verdad que, por razones no muy claras, desdeña, desde el año 36 en ade-lante, el consagrarse a ellas y su mayor pro-ducción la encauza hacia la vieja escuela.

104

La explicación que él mismo nos brinda no la tengo por demasiado válida o sincera:[1]

Y en cuanto a la simultaneidad de ambas formas poéticas, si la clarísima diferencia de propósitos no la justificara moralmente, permítaseme que me escude en ejemplos insignes: el Góngora de las "Soledades" y el de las letrillas monjiles o romances burlescos; el Strawinski del "Sacre du Printemps" y el de "Pulcinella"; el Bartók de los cuartetos y el de las piezas para niños; el Picasso de los retratos y el de las telas cubistas. Y tantos otros.

Más bien que en la anterior justificación, tiendo a creer en que motivos de índole compleja le hayan decidido a un cambio de rumbo y de estilo. A escribir para el "gran público", a componer versos más fácilmente asequibles a grupos numerosos de lectores y allanar, de tal modo, el camino de las palmas académicas. De no equivocarme repetiría, a propósito de Diego, lo que dije sobre Alberti en su etapa de poesía proletaria. Y no es que, en honor a la verdad, considere yo desnudos de mérito poemas como éste:

Esta Soria arbitraria, mía, quién la conoce?
Acercaos a mirarla en los grises espejos

[1] Gerardo Diego, *Primera Antología de sus versos* (Buenos Aires: Espasa-Calpe Argentina, 1941).

105

de mis ojos, cansados de mirar a lo lejos.
Vedla aquí, joven, niña, virgen de todo roce.

Sombreros florecidos tras la misa de doce.
Y bajo la morada sombra de los castaños,
unos ojos que miran, cariñosos o huraños,
o que no miran, ¡ay!, por no darme ese goce.

Abajo el río, orla y música del paisaje,
para que el alma juegue, para que el alma viaje
y sueñe tras los montes con las vegas y el mar.

Y arriba las estrellas, las eternas y fieles
estrellas, agitando sus mudos cascabeles,
lágrimas para el hombre que no sabe llorar.

Soria[1]

Voy a admitir sin dificultad que el anterior soneto sea de los primeros realizados por el autor. Pero el siguiente, bastante posterior a la época creacionista, no estimo señale ningún progreso ni perfeccionamiento:

Sublime aparición, no, ¿quién engaña
mi corazón, mis ojos, mi estatura?
En los aires la nieve se inaugura,
parto del cielo, tienda de campaña

. . . .

Teide[2]

En los sonetos reseñados hay cantidad, y calidad, de elementos que pertenecen, legítimamente, a lo mejor de nuestra lírica, pero el más obtuso de los críticos apreciaría en ellos un poco de lo que Juan Ramón Jiménez llamó

[1] _Op. cit._
[2] _Ibid._

"retorno innecesario". O sea, una actitud no sólo tradicional, cosa laudable, sino repetidora de lo hecho y, por consiguiente, incapaz de agregar un ápice a lo ya conocido.

Tampoco pongo en tela de juicio el valor de sus recientes ensayos de tipo "popularista", aunque ostenten acusadas influencias de Lorca y, acusadísimas, de Alberti. Sorprende esta imitación de jóvenes contemporáneos en hombre de semejante categoría y originalidad. Y, sin embargo, no hay que sentar plaza de zahorí para averiguar el manantial de procedencia de las siguientes estrofas:

> Torerillo en Triana
>   frente a Sevilla.
> Cántale a la Sultana
>   tu seguidilla.
> . . . .
> Arenas amarillas
>   palcos de oro.
> Quién viera a las mulillas
>   llevarme el toro.
> . . . .
> Ay, río de Sevilla
>   quién te cruzase
> sin que mi zapatilla
>   se me mojase.
> . . . .
> Adiós torero nuevo
>   Triana y Sevilla,

que a Sanlúcar me llevo
tu seguidilla.

Torerillo en Triana[1]

Vuelvo a insistir en que me parece poco explicable que tales gustos respondan a las intenciones generales de Diego. Intenciones que presagiaban la inevitable resultante española de Guillermo Apollinaire.

Baste recordar, al azar, una muestra de *Manual de Espumas*,[2] de fecha anterior a aquella en que editaba en Gijón *Carmen* y *Lola*, las famosas y, para entonces, escandalosas revistas, estéticamente hablando. Es decir, una poema perteneciente a los tiempos heroicos del vanguardismo:

DANZAR

Cautivos del bar

La vida es una torre
y el sol un palomar
Lancemos las camisas tendidas a volar

Por el piano arriba
subamos con los pies frescos de cada día
. . . .

De un lado a otro del mundo

[1] *Op. cit.*
[2] Gerardo Diego, *Manual de Espumas* (Madrid, 1924).

los arcoiris van y vienen
para vosotros todos
los que perdisteis los trenes

Y también por vosotros
mi flauta hace girar los árboles
y el crepúsculo alza
los pechos y los mármoles.

Las nubes son los pájaros
y el sol el palomar

Hurra
                    Cautivos del bar
La vida es una torre
que crece cada día sobre el nivel del mar.
                    Paraíso[1]

La anarquía interior de imágenes, metáforas, trasposiciones, parodias, dejan al lector en
plena libertad subjetiva de interpretación. Hay
en conjunto una afirmación de optimismo
colectivo, ruptura de convencionalismos retóri-
cos, gozosa seguridad afianzada en los dos versos finales. Y esperamos que esos pobres cautivos del bar, obligados a danzar entre cuatro
paredes, descubran, súbitamente, la naturaleza y, como los pájaros y las camisas, levanten
el vuelo hacia el sol o las estrellas, aprove-
chando el reflujo de mármoles y pechos del

[1] *Op. cit.*

atardecer. El hurra liberador coincide con la certidumbre del crecimiento vital, de la escapatoria a los espacios etéreos, en donde la poesía carece de significado y vive por sí misma.

Dentro de la tendencia creacionista, Gerardo Diego reviste toda su espléndida maestría, su desbordamiento imaginativo, su anárquico e ingenuo humorismo, su auténtica vena poética:

Una tarde de aquellas sin testigo
muralla en torno de una llave inversa
en que vuela un color por todo amigo
del olivo al secreto y viceversa
sin saber —emisario a la jineta—
cuál de los polos es el de la meta
. . . .

Duchaba el sauce el beneficio verde
renovando su llanto meridiano
y el ciprés que de viejo el filo pierde
aprendía el dialecto cortesano
porque es común a sauces y cipreses
nivelar presupuestos de marqueses
. . . .

Y mientras van glisando los secretos
de confesión por brazos y por ríos
e ilumina los triples parapetos
la batería gris de los rocíos
su barba el arquitecto abre y bifurca
y a bordo de ella costas de arpa surca

110

A bordo de ella góndola en dos puntas
góndola barba al viento que se estira
hasta llegar por láminas adjuntas
a limitar al sur con la mentira
a bordo de su barba navegaba
sobre el jardín de curvatura brava
                    Fábula de Equis y Zeda[1]

Las descripciones de los dos primeros sextetos —entresacados de la *Fábula*— y la pintura del arquitecto prisionero de su propia barba, aquella barba, como todas, combatida por
los vientos y con un límite meridional fronte-
rizo a la mentira, son —como recursos poéticos— suficientes para asustar a los propios
vanguardistas.

Pero en los fragmentos reproducidos y,
mucho más, en el conjunto de la *Fábula*, el
lector se encuentra paulatinamente vencido
por la musicalidad, la increíble fantasía, las
imágenes, sueltas en apariencia, la disparatada
anécdota y el efectismo virtuosista. En una
palabra, por lo que llamaríamos el "despropósito". Despropósito que no es sino propósito.
Deshumanizar. Dejar fuera de la estrecha y
meticulosa exigencia del mundo cotidiano una
poesía sin trabas y sin lógica.

Claro que sin lógica formal, pues posee, a
pesar de todas las opiniones en contrario, una

[1] En *Poemas adrede* (Madrid, 1943).

lógica poética perfecta. La lírica, aquí, se ha transmutado en fin. Ha dejado de ser medio. Por ella no podremos alcanzar nada, puesto que de nada nos sirve. Constituye su propia y definitiva meta. No hay más allá —ni más acá—, nace y muere consigo misma. Como todas las actividades intelectuales puras, es deporte cordial y cerebral.

Alto exponente de versificación y metáfora extravagante ofrecen, también, estas décimas:

> Quizás hayas visto en el hueco
> de tus manos cómo baja
> la virtud y cómo encaja
> en el dique limpio y seco
> Toda la música es fleco
> que tú haces y el viento olvida
> No dejes por Dios perdida
> tu mirada de aluminio
> Cíñete en corvo dominio
> la corbata de tu vida.

. . . .

> El violonchelo que moja
> y la nieve que se cansa
> peinan nuestra ropa mansa
> hilo a hilo y hoja a hoja
> No te duermas Desaloja
> los suspiros de tu busto
> hasta que pesen el justo
> volumen de tu arrebato

Así Ahora como un plato
duérmete si ese es tu gusto.
La reconvención amistosa[1]

El partido que saca Gerardo Diego a la
potencia melodiosa de la décima le permite verificar comparaciones absolutamente es-
trambóticas para la masa y por ello sus composiciones —de este jaez— no fueron jamás
muy gustadas por las mayorías. A cualquiera
pondría en grave aprieto la exigencia de explicar racionalmente lo dicho en semejante lenguaje. Pero el autor no pretendía sino dar a
cada uno la libre interpretación sensible que
su individualidad le dictara. Cuesta trabajo,
por esto, comprender el respeto inquebranta-
ble que mantiene a las reglas más minuciosa-
mente preceptistas de la versificación. Para
mí tengo que el contraste voluntario entre lo
viejo de la forma —técnica versificadora— y
el fondo —archirrevolucionario—, dota a la
poesía de Gerardo Diego de calidades semejantes a las de Picasso en pintura. Se trata
de demostrar un dominio de la materia que ca-
pacita al autor para hacer cuanto se requiera
en el campo de lo ya sabido y, tapada así la
boca a los chillones, dedicarse al malabarismo
de la creación.

[1] En *Poemas adrede,* ob. cit.

El escritor se conformaba al destino por él edificado y a él se sometía, en la certidumbre de permanecer siempre aparte, casi único y renovándose a diario hasta el punto de desconocerse o reconocerse, según del lado que cayeran las pesas.

Pero —y éste sería el motivo más legítimo que podría aducirse en favor del cambio de ruta del poeta—, a partir de 1931, la escuela creacionista no satisfacía a muchos que la siguieron, porque el momento cúspide del optimismo había pasado. Los inconvenientes para dedicarse a un juego sin propósitos eran, ahora, más de índole psicológica que estética. Separándose de las corrientes originarias, los poetas se planteaban problemas que poco a poco iban impregnando sus concepciones y que nacían de la perspectiva abierta a un nuevo período agonal para la nación española. Los poetas, los artistas, intuían las nubes tenebrosas y se fugaban de lo tangible por otros caminos menos personales. Se acogían a nuevas escuelas que, como en el caso del superrealismo, no significaban más que versiones modificadas del romanticismo. Superrealismo, por otra parte, plenamente triunfador en la palestra. No sólo en la literatura, sino también en pintura con la genialísima producción de Dalí.

Vicente Aleixandre es también de los que verifican concesiones a las escuelas preponderantes en Europa y hasta a los mismos movimientos suramericanos. Fué de los últimos en obtener la consideración de maestro y ésta no se le otorgó plenamente sino tras la publicación de *La destrucción o el amor*,[1] obra laureada con el premio nacional de literatura.

No es que la poesía de Aleixandre haya sido nunca una lírica menor. Por el contrario, desde su iniciación literaria se le hubieran podido pronosticar los más halagüeños resultados. Pero en muchos de sus poemas primeros se nota una dirección indecisa. Una búsqueda de la propia personalidad a través de afortunadas imitaciones de Guillén y Salinas. Inclusive por entonces se echaba de ver en Aleixandre la inmersión en el subconsciente. La desconexión lógica en sus escritos. La sustitución de las trabazones objetivas por otras puramente subjetivas y de caprichoso significado. Y tales inclinaciones primitivas culminan con la aparición del libro señalado.

Dejando, por ahora, a un lado cuestiones de estilo e influencias, mediatas o inmediatas,

[1] Madrid, 1935.

y ciñéndonos a la tendencia general, concluiríamos la evidencia del superrealismo de Aleixandre. Ella salta a la vista. Mas ¿qué es el superrealismo? ¿Lo tendríamos por esencial o accidental en este poeta,

Preguntas son de complicada respuesta. Respecto a la primera, la pretensión de reemplazar lo racional por lo intuitivo, la certidumbre de todos por la individual, constituye un viejo achaque en las letras. Pero cuando, obstinadamente, rehusamos aceptar la realidad tangible —no mejorándola, sublimándola o modificándola, sino, sencillamente, desconociéndola— y la sustituímos por una hiperlógica personal que nos conduce a discutir los fundamentos no sólo del arte, sino de la sociedad que lo produce, nos movemos en el terreno de la revolución.

Es decir, en apariencia podríamos figurarnos la actitud de Gerardo Diego y de Aleixandre como similares. Nada más lejos de la verdad. El uno aisla la poesía. El otro la contempla ligada al conglomerado social. Tampoco hay parecido entre la posición de Alberti y Aleixandre. Aquél coloca su capacidad poética al servicio de una revolución política, como un arma más. Éste reacciona contra el ambiente colocándose en plano de aguda protesta, porque el ambiente no se acomoda a su

116

concepción poética del mundo y de la vida. Y sintiéndose débil se parapeta en la defensiva dejando abierto el portillo de la fuga.

Cambiando todo esto a subterráneas e inexplicables angustias, a terrores insuperables, a exaltación de la naturaleza en sus más hondas raíces y a una infinita apetencia amorosa, se consigue un precipitado de romanticismo que es el animador de la postura de Aleixandre.

Para Guillén —ultraclasicista en su sentimiento vital— el mundo estaba bien hecho. Para Vicente Aleixandre en el universo existen demasiadas cosas o, quizá, demasiado pocas. En cualquier caso, ni se acepta ni es aceptable. El principio generador de la lucha contra él y por él se plantea con idéntica fuerza a la que tuvo en 1830.

A este punto llega y en él permanece. En puro romanticismo individualista, expresado soberbiamente y sin nexos lógicos visibles entre las ideas. No existe, todavía, en Aleixandre el afán de lo trascendente sino en la medida de su yo. Queda, por supuesto, limitada la trascendencia a un plano difuso aunque su volumen nos salpique a todos. Así concebida, esta lírica contiene infinitamente menos elementos "deshumanizantes" —o "deshumanizados"— que la de Diego. Razón, superrazón o pasión, siempre románticas bajo su múltiple disfraz.

Dice A. Valbuena Prat al hablar de Aleixandre:[1]

"Después de la muerte", "Sin luz", "Corazón en suspenso", son ya títulos que revelan una nueva actitud humanizada, hondamente humanizada de terror, misterio o tinieblas al lado de los juegos intrascendentes en que empezó la labor de artistas de la generación de Aleixandre; para encerrar versos de temblor impresionante: "esas aguas espesas que como labios negros ya borran lo distinto", "ese profundo oscuro donde no existe el llanto", "casi humo en silencio que pronto es lágrima", "esa tristeza contagiosa en medio de la desolación de la nada". Grandeza que va adquiriendo el poeta y que tiene mucho de época, dilema de ser o no ser, en estética, en la vida misma. Disyuntiva trágica: destrucción o amor, hiriente problema que no sólo envuelve en humo cálido el nuevo arte, sino la esencia misma de la sociedad y la historia española de nuestro momento.

No vacilaría yo en señalar la responsabilidad que cabe, en la humanización de Aleixandre, al chileno Pablo Neruda y a su *Residencia*

[1] *Historia de la Literatura Española* (Barcelona, 1937), vol. II.

en la tierra.[1] Hay demasiados contactos y felices coincidencias entre ambos y los dos también adoptan esa manera romántico-superrealista, a lo menos hasta la fecha a que me refiero. El mismo sentir panteísta, furiosamente en pos de los signos ocultos de la naturaleza, informa el contenido lírico del chileno y del español:

Cuando contemplo tu cuerpo extendido
como un río que nunca acaba de pasar,
como un claro espejo donde cantan las aves,
donde es un gozo sentir el día cómo amanece.

Cuando miro a tus ojos, profunda muerte o vida que
[me llama,
canción de un fondo que sólo sospecho;
cuando veo tu forma, tu frente serena,
piedra luciente en que mis besos destellan,
como esas rocas que reflejan un sol que nunca se
[hunde.

Cuando acerco mis labios a esa música incierta,
a ese rumor de lo siempre juvenil,
del ardor de la tierra que canta entre lo verde,
cuerpo que húmedo siempre resbalaría
como un amor feliz que escapa y vuelve...

Siento el mundo rodar bajo mis pies,
rodar ligero con siempre capacidad de estrella,

[1] Pablo Neruda, *Residencia en la tierra* (Madrid, 1935).

con esa alegre generosidad de lucero
que ni siquiera pide un mar en que doblarse.

. . . .

Mirar tu cuerpo sin más luz que la tuya,
que esa cercana música que concierta a las aves,
al bosque, a las aguas, a ese ligado latido
de este mundo absoluto que siento ahora en los labios.

A ti, viva

Lo que pudiéramos denominar motivos del agua desbordada, libre, incoercible —lluvias, río, Océano—, símbolo del continuo cambio, del permanente arrastre de las cosas y de la mutación eterna como solo elemento perdurable, es tema favorito en los dos líricos.

En ocasiones el parecido a Neruda se patentiza de tal modo que casi nos permitiría considerar a Aleixandre como discípulo:

O ven, ven siempre como el clamor de los peces,
como la batalla invisible de todas las escamas,
como la lucha tremenda de los verdes más hondos,
de los ojos que fulgen, de los ríos que irrumpen,
de los cuerpos que colman, que emergen del océano,
que tocan a los cielos o se derrumban mugientes
cuando de noche inundan las playas entregadas.

Que así invade

Si comparamos los anteriores versos al poema "Sur del Océano", encontraremos materia de amplia reflexión.[1] Lo mismo sucedería, respecto a la imitación de Guillén y Salinas, si nos entregamos a un análisis cuidadoso del primer libro de Aleixandre.

No en todos los casos el poeta ofrece igual dimensión de protesta. Especialmente, frente a la naturaleza risueña siéntese conducido al territorio del amor, y también el amor lo devuelve a la contemplación de la naturaleza:

Esa mano caída del occidente
de la última floración del verano
arriba lentamente a los corazones
sencillamente como la misma primavera

Las mismas bocas más frutales
la tierna carne del melocotón
el color blanco o rosa
el murmullo de las flores tranquilas
todo presiente la evaporación de la nube
el cielo raso como un diente duro
la firmeza sin talla brilladora y amante
El aroma el no esfuerzo para perdurar
para ascender
para perderse en el deseo alto pero lograble
todo esto dichosamente presidido por el mediodía
por lo radioso sin fin que abarca el mundo como un
                                              [amor
. . . .
                                    Libertad

[1] Neruda, *op. cit.*, II, sin paginación. Otra caprichosa característica de algunas ediciones en este tipo de poesía.

Pudiéramos terminar afirmando que Aleixandre no es, evidentemente, un escritor cuyo más saliente aspecto sea la originalidad del tema, pero encontramos en él notoria originalidad de apreciación del mundo y sus objetos. Un ancho medirse con la vida y la muerte. Dolor y amor. Mezcla exacta de optimismo esperanzado y desesperación infinita. En una palabra, negación íntima a conceder valores definitivos al presente. El ahora permanece en posible recuerdo o página tendida a la esperanza. Tensión hacia el mañana y el ayer. Nostalgia de lo no poseído y de lo perdido por azar. Insisto en ello: romanticismo del más puro carácter. El examen externo de sus versos nos sorprende por la construcción metafórica, de fuerza incontrastable, y la riqueza de léxico. Quizá utilice el vocabulario más variado entre los poetas coetáneos a él. Inclusive, numerosos giros cuasi neológicos. Vocablos extraños y raros, encuadrados en un magnífico y seguro esqueleto poemático.

Pero la lírica de Aleixandre, al adquirir caracteres propios y distintivos, se aleja por caminos harto diversos a los trazados por sus primeros compañeros de generación. Una nueva conciencia despierta en él, en estilo a la moda. Despertar que anuncia otra genera-

ción. Otra manera de ser, de estar, de comprender y de sentir. Otros propósitos y fines
no sólo poéticos sino también espirituales.

VII

TRASCENDENTALISMO POÉTICO

El poeta de que voy a tratar ahora —Luis Cernuda— nació en Sevilla, como Vicente Aleixandre, pero a esta coincidencia de patria chica se reducen sus semejanzas con éste. En Cernuda la lírica ha perdido ya, por completo, la dimensión lúdica —virtuosista, popularista, creacionista o superrealista— para convertirse en algo enteramente agonal. No sólo a base de aspiraciones más o menos vagas, sino de realidades concretas.

Para Cernuda los cuerpos exteriores tienen un límite de certidumbre en el espacio y brindan un estímulo al deseo, mas todo cuanto el mundo pueda ofrecer y ofrezca resulta demasiado pobre para colmar las aspiraciones del hombre. De aquí se sigue una actitud solitaria. Hosca y sombríamente solitaria. De espiritual agonía. Tropezamos, pues, con otro poeta de las famosas soledades españolas. Soledad cruel, meditativa y, por ello, íntimamente consoladora. Y también desoladora, según el hombre y según el instante. Soledad frente a sí mismo, frente al paisaje y frente al conjunto vital. Exaltación del propio ser, único elemento de apoyo en el combate.

Además de este elemento primordial existen otros muchos en Cernuda. La complejidad espiritual del poeta dificulta gravemente su clasificación acertada, a lo menos dentro de los casilleros y escuelas literarias preestablecidos. Romántico a veces, siquiera por el tono, a menudo clásico, por la manera, en un perpetuo afán de descubrir y descubrirse. Contra todo y contra todos, Cernuda se parece muchísimo a nuestros grandes autores del período barroco. Probablemente más que ninguno de sus contemporáneos.

Sería casi imposible, escarbando la antología de sus poemas —publicada en 1936 [1]—, hallar un centro de gravitación hacia determinada corriente estética. Quiero decir un centro de gravitación predominante, fuera del núcleo espiritual de la soledad y del dolor de sí mismo. Es el ejemplo de más exquisita delicadeza en la poesía moderna de España. Sin embargo, la crítica —tal vez por circunstancias adversas, quizá por voluntario descuido o puede que, simplemente, por la esquiva y hui-

[1] Luis Cernuda, *La realidad y el deseo* (1ª ed., Madrid: Cruz y Raya, 1935; 2ª ed., México: Séneca, 1940).

diza manera de ser del autor— no le ha concedido el puesto que merece.

Nadie se atrevería a ignorarlo ni nadie tampoco ha osado —aunque lo valga— parangonarlo con García Lorca o Alberti. Y es que Cernuda —como su paisano Bécquer, con quien posee tantos puntos de contacto—, se mantiene en cerrado recinto. Su soledad es la del alma. La de todas las almas en trance de autoexamen. En él, el individuo deshumanizado torna a humanizarse plenamente, aunque sin salir de la meditación ni traspasar sus fronteras personales. Todos podemos reconocernos en sus versos pero, justamente, como entidades aisladas sin más contactos que la similitud de conflictos, nunca como masa ideológica colectiva. El poeta de la soledad compone poemas para quienes sepan gozar de ellos en la abstracción y sean capaces de especular sin ayuda ajena, de recluirse, escuchando los rumores de su corazón.

Son poemas, éstos, líricos por los cuatro costados y de lirismo purísimo, afinado, inasequible:

Sí, la tierra está sola, a solas canta, habla
Con una voz tan débil que no la alcanza el cielo;
Canta risas o plumas atravesando espacio
Bajo un sol calcinante reflejado en la arena.

Es íntima esa voz, sólo para ella misma;
Al exterior la sombra presta asilo inseguro.
Un grito acaso pasa disfrazado con luces,
Luchando vanamente contra el miedo y el frío.

¿Dónde palpita el hielo? Dentro, aquí, entre la vida,
En un centro perdido de apagados recuerdos,
De huesos ateridos en donde silba el aire
Con un rumor de hojas que se van una a una.

Sus plumas moribundas va extendiendo la niebla
Para dormir en tierra un ensueño harapiento,
Ensueño de amenazas, erizado de nieve,
Olvidado en el suelo, amor menospreciado.

Se detiene la sangre por los miembros de piedra
Como al coral sombrío fija el mar enemigo,
Como coral helado en el cuerpo deshecho,
En la noche sin luz, en el cielo sin nadie.

Decidme anoche[1]

Se echa de ver una originalidad realmente
poco común en las estrofas anteriores. De
nuevo doblamos la esquina romántica. Romanticismo, ciertamente, con ropaje de versos
clásicos. Ellos nos proyectan hacia ese cielo y
esa tierra de Cernuda, vacíos y como ausentes. Este aspecto desolado del universo con-
trasta con el virgiliano —muy dentro de la
tradición hispalense— usado por él cuando
contempla la pequeña naturaleza:

[1] Cernuda, *op. cit.*

Sólo la rosa asume
Una presencia pura
Irguiéndose en la rama tan altiva,
O equívoca se sume
Entre la fronda oscura,
Adolescente, esbelta, fugitiva.
Y la rama no esquiva
La gloria que la viste
Aunque el peso la enoja;
Ninguna flor deshoja,
Sino ligera, lánguida resiste,
Con airoso desmayo,
Los dones que le brinda el nuevo mayo.
....

Égloga[1]

Vuelto el poeta a la dureza cotidiana, no sólo trata de huir de las cosas, sino de los deseos, del amor, sumirse en el más completo y olvidado silencio. Así cuando glosa a Bécquer:

Donde habite el olvido,
En los vastos jardines sin aurora;
Donde yo sólo sea
Memoria de una piedra sepultada entre ortigas
Sobre la cual el viento escapa a sus insomnios.

Donde mi nombre deje
Al cuerpo que designa en brazos de los siglos,
Donde el deseo no exista.

[1] *Ibid.*

128

En esa gran región donde el amor, ángel terrible,
No esconda como acero
En mi pecho su ala,
Sonriendo lleno de gracia aérea, mientras crece el tor-
[mento.

. . . .

Donde habite el olvido, I [1]

Los tonos desesperados, y desesperanza-
dos, el escepticismo místico-romántico que di-
suelve el universo en una contradanza de
formas imprecisas, vagas, perecederas, falsas,
estimables como deseo, desdeñables como realidad, anima otros poemas de sin igual agonía, de vacío absoluto, de inmenso dolor:

Como la arena, tierra,
Como la arena misma,
La caricia es mentira, el amor es mentira, la amistad
[es mentira.

Tú sola quedas con el deseo,
Con este deseo que aparenta ser mío y ni siquiera es
[mío,

Sino el deseo de todos,
Malvados, inocentes,
Enamorados o canallas.

Tierra, tierra y deseo.
Una forma perdida.

Los fantasmas del deseo [2]

[1] *Ibid.*, p. 115.
[2] *Ibid.*

129

Inclusive cuando Cernuda se remonta a
una voz puramente clasicista, de sabor ovidia-
no, y sale —o lo pretende— de su esfera privada
al desaliento y al triste abandono en que yace-
mos, su lírica retiene la capacidad de conmo-
vernos, no ya como conjunto humano, sino
como simples, aislados, individuos:

Luchamos por fijar nuestro anhelo,
Como si hubiera alguien, más fuerte que nosotros,
Que tuviera en memoria nuestro olvido;
Porque dulce será anegarse
En un abrazo inmenso,
Vueltos niebla con luz, agua en la tormenta;
Grato ha de ser aniquilarse,
Marchitas en los labios las delirantes voces.
Pero aún hay algo en mí que te reclama
Conmigo hacia los parques de la muerte
Para acallar el miedo ante la sombra.

¿Dónde floreces tú, como vaga corola
Henchida del piadoso aroma que te alienta
En las nupcias terrenas con los hombres?

No eres hiel ni eres pena, sino amor de justicia impo-
[sible,
Tú, la compasión humana de los dioses.

Himno a la tristeza[1]

[1] *Ibid.* El libro de Cernuda que tan a menudo he
citado constituye —como dije— una antología poética
del autor. Antología seleccionada por él mismo y
cuyos poemas, por lo tanto, deben ser considerados

He aquí, pues, aunque muy resumida, la producción y la ideología del último —en el tiempo— gran representante de la Generación de 1920-35. ¿Quién reconocería en esta lírica, fuertemente impregnada de todas las esencias del pesimismo y la nada, rebosante de afanes de aniquilamiento, dotada de profundísimos planos, a los poetas precedentes?

El cambio de panorama universal ha amontonado tempestuosas amenazas. La España alegre cede su puesto a la patética España de siempre. Pero ya no existen los famosos complejos de inferioridad frente a Europa. Se marcha de cara al destino. El presagio, la profecía, el dolor, lo que fuere, carecen de diminutos localismos. Son acentuadísimamente ecuménicos. Otro horizonte se abre y ahora la inquietud, la angustia, valen no sólo para un pueblo caído, sino para la humanidad completa. Un aniquilamiento del yo, como en Cernuda, no sería —claro está— solución aceptable. Pero sí legítima solución poética.

En todo caso, la delicadeza, la sensibilidad, la firmeza de acento ante el destino negativo, la enorme capacidad patética, cierran, con Luis Cernuda, un período comenzado por la afirmación del mundo, del amor y de sus

como los más representativos de su postura estética y espiritual.

glorias, seguido por una corriente épico-lírica abundante en paisajes y acción, continuando por una poesía de juego y espejismo y por otra de búsqueda de la verdad más allá de su mera expresión sensible y formal.

Igual que sus compañeros, Luis Cernuda ha derivado en el destierro hacia composiciones de tipo nostálgico y elegíaco. Quizá por su propio temperamento, o tal vez por otras causas, ha dado versos máximos a esa clase de poemas. Leyendo el siguiente, apreciaremos en él, junto con innegables índices románticos, peculiar talento descriptivo de la triste aventura del éxodo:

Ya la distancia entre los dos abierta
Se lleva el sufrimiento, como nube
Rota en lluvia olvidada, y la alegría,
Hermosa claridad desvanecida;
Nada altera entre tú, mi tierra, y yo,
Pobre palabra tuya, el invisible
Fluir de los recuerdos, sustentando
Almas con la verdad de tu alma pura.
Sin luchar contra ti ya asisto inerte
A la discordia estéril que te cubre,
Al viento de locura que te arrastra.
Tan sólo Dios vela sobre nosotros,
Árbitro inmemorial del odio eterno.

Tus pueblos han ardido y tus campos
Infecundos dan cosecha de hambre;

Rasga tu aire el ala de la muerte.
Tronchados como flores caen tus hombres
Hechos para el amor y la tarea,
Y aquellos que en la sombra suscitaron
La guerra, resguardados en la sombra
Disfrutan su victoria. Tú, en silencio,
Tierra, pasión única mía, lloras
Tu soledad, tu pena y tu vergüenza.

Fiel aún, extasiado como el pájaro
Que en primavera hacía su nido antiguo
Llegaba a ti y en ti dejaba el vuelo,
Con la atracción remota de un encanto
Ineludible, rosa del destino,
Mi espíritu se aleja de estas nieblas,
Canta su queja por tu cielo vasto,
Mientras el cuerpo queda vacilante,
Perdido, lejos, entre sueño y vida,
Y oye el susurro lento de las horas.

¡Si nunca más pudieran estos ojos
Enamorados reflejar tu imagen!
¡Si nunca más pudiera por tus bosques,
El alma en paz caída en tu regazo,
Soñar el mundo aquel que yo pensaba
Cuando la triste juventud lo quiso!
Tú nada más, fuerte torre en ruinas,
Puedes poblar mi soledad humana,
Y esta ausencia de todo en ti se duerme.
Deja tu aire ir sobre mi frente,
Tu luz sobre mi pecho hasta la muerte,
Única gloria cierta que aún deseo.

Elegía española[1]

[1] *La realidad y el deseo* (México: Séneca, 1940),
p. 203.

Como ya dijimos, Cernuda, maneja las riendas de la vena transcendental. La poesía para él no es oficio ni beneficio. Actividad deportiva ni mera satisfacción artística. Nace de un inaplazable mandato psíquico. Es tan suya y tan consustancial con él como el aparato respiratorio o el esqueleto. Una cuña que parte su alma, introduciéndole dentro efluvios desesperados, amorosos, humanos, metafísicos. Ansias de ser y de no ser, de vivir y morir. Le conduce también a la posesión provisional de cosas indeseadas, a la irremisible pérdida de cuantas ha querido. Por ello, "perdido lejos entre sueño y vida", oye "el susurro lento de las horas". Horas sin tiempo dirigidas por mano poderosa, implacable, hacia la muerte, "única gloria cierta que aún deseo". Afán románticamente sincero por lo que tiene de liberación, como trueque de bienes disipados. Un ayer nebuloso y un hoy desbordado de angustia. Sin poder desandar lo andado, el poeta busca su negación como afirmación postrera. Limpio corazón que destila sangre en esta "Elegía de España". En esta elegía de todos.

VIII

LAS AVANZADAS
DEL MOVIMIENTO

Hay en los albores del 20 una producción
poética independiente de los estilos usuales
entonces y no por entero decidida por los nuevos, aunque al fin la balanza terminó inclinán-
dose hacia este lado. Procede de autores de
vieja data que carecen de puntos de contacto
positivos entre sí. Quiero decir que mantienen
una mutua independencia, conservada también, y en gran parte, respecto a sus futuros
compañeros de generación. Semejantes características las ofrecen José Moreno Villa, León
Felipe y Juan José Domenchina.

Alguna vez se me ha preguntado qué elementos excepcionales encierran los versos de
Moreno Villa. Mi respuesta, obvia, es que todos los elementos posibles, y deseables, para
levantar el estandarte del grupo que nos ocupa estaban ya implícitos en los libros del autor
publicados con anterioridad a 1920. Y sin negar que sus poemas sean extraordinariamente
desiguales y recorran la enorme escala que

135

media entre lo excelente y lo prosaico, me parece que fueron una especie de heraldo anunciador de cuanto había de venir después.

La chispa humorística, la sal andaluza, el estilo —a menudo, y por deliberado designio, *cop-à-l'âne*—, los temas y la forma de tratarlos poseían el temblor de escándalo revolucionario requerido por la vanguardia de todo movimiento renovador.

En este sentido Moreno Villa es un precursor y un precursor harto considerable. Si algún erudito, con la apropiada seriedad de esta clase de estudios, meditara e investigara las fuentes y consecuencias de *Garba* y los libros de la misma pluma que siguieron a éste, concluiría que marcan una anticipación. No sólo poética sino igualmente filosófica, por decirlo así. La cifra de ese optimismo universalista del poeta, y por supuesto de su delicioso y subconsciente humor, resbala sobre el lomo de casi todas sus estrofas:

Si la luz del fiordo embalsama mi aparato respiratorio
y en la música negra rejuvenecen mis talones;
si a ratos voy por el Sahara sin carne ni pescado
y otras veces navego en un témpano polar;
si a las hijas del Rhin debo las mejores apoteosis
y me gustaron los vinos de la campiña francesa,
¿por qué no es el mundo mi patria?
Si acompaño al ruso visionario,
y voy con Ghandi por sales prohibidas;

si adoro las isletas del Pacífico
y me deslizo por los Alpes en skis,
¿por qué no ha de ser mi patria todo el mundo?
Si la caña de manzanilla es mi sacramento vespertino
y el barro de la cerveza mi mejor alimento;
si me divierte Roma por su gran vaudeville
y Cinelandia por sus amores de telón;
si aplaudo las regatas de Oxford
y el balancín del chino me sabe a Rolls-Royce en de-
                                  [terminados momentos;
si sé de la gran "paúra" y la "saudade";
si me sumerjo en el tango argentino
y salgo a flote con el vino andaluz;
si en las piscinas de Checoeslovaquia
he descubierto las sirenas griegas
y el tabaco turco lo alterno con el de Virginia;
decidme, caros amigos de todo el planeta,
hombre del cocotero, mujer de la naranja,
viejo del microscopio, zagal de los renos,
doncella del kimono celeste, secretario de Moscú,
doctor de la Escuela de la Sabiduría,
padre de las pinturas subconscientes,
descubridor de aparatos,
¿por qué no es la tierra unidad?
             ¿Por qué no es el mundo mi patria? [1]

Para triunfar en poesía valiéndose de este endemoniado y voluntario prosaísmo, con imágenes *sui generis*, a base de puras y simples enunciaciones, se precisa la agilidad mental del diablo cojuelo, que nos traiga, nos lleve y nos pasee por los cuatro puntos cardinales se-

[1] De *Salón sin muros*.

ñalándonos con el dedo los atractivos visibles de las cosas, sin enmascarar, ni mixtificar, el sol, el aire, la luz o el brillo de la vida, pero prestándole una densidad alegre, ligerísima, aséptica, y derramando, al socaire de las palabras, minúsculas gotas de gracia burlona.

Nada representa con más veras el licenciamiento de esa bohemia triste que, definitivamente, se negaba a torcerle el cuello al cisne y consumía su decadentismo en cafés malolientes, en los paraísos artificiales de la tristeza voluntaria, de los sueños enfermizos.

Sacaba Moreno Villa a estos encarcelados a una vida risueña, de aromas penetrantes, de múltiples estímulos de goce. Los mecía en el regusto de opuestos climas haciéndoles sentirse dueños del universo. Les enseñaba a hincar firmemente los pies en la tierra, a recrearse con la mirada sobre un panorama kaleidoscópico. En una palabra, a suprimir la literatura y a hacer, sin ella, poesía:

Moreno Villa corta las raíces del pasado hasta donde es posible. Existe en presente, quizá en futuro:

Después de un olvido presente,
sin otra luz que la embriaguez de la paridad,
vimos venir el nuevo día,
con nuevos montes, árboles, ríos,
caritas humanas, borriquillos de infinita ternura,

torres, caminos, jardines cerrados
en donde hubiéramos querido vivir eternamente.

De *Separación*

Lo transitorio que, al fin y al cabo, como decía Quevedo, "permanece y dura", surge como eterna necesidad. Como dinámica espiritual. Por eso el poeta, en otra ocasión, exclama, afirmando su libertad, su indomable urgencia de movimiento, de cambio:

Mi celibato me permite trajes deportivos
de colores verde o meloso
y usar los pensamientos recién cazados
en mis horas de volatería soñadora.

Mi celibato me permite comer acá y allá,
concluir el mes con el último céntimo
y tener en suma cierta levedad juvenil.
. . . .
. . . .
Ser solo, suelto, amo de todo y de nada
—porque todo se toma y se deja si se es libre—.
Ser solo es ser lo más y lo menos del mundo.
Es ser para sí, para nadie.
Es vivir para librarse de sí mismo.

De *Salón sin muros*.

Descubrimos aquí una bohemia segura, mucho más interesante y auténtica que la de principio de siglo. *Modern style*, humana, limpia, andariega. Y, por supuesto, estética.

139

Aunque carezca de innecesarias morbideces y perversiones baudelairianas. Bohemia sin vino ni escándalo, ancha como el mar y libre como el aire.

Un cuadro construído para el "arte nuevo", que abominaba de la "putrefacción", de la sensiblería, de los falsos olimpos, de los cisnes y de todo el fárrafo melodramático que les servía de cauda.

Naturalmente la misión de este finísimo malagueño, como avanzada de 1920, era destructora y creadora a la vez. Por eso, más tarde, y desde muy pronto, la rectificación se impuso. Él, sin embargo, con recia lealtad a sus principios, ha permanecido en las posiciones que ocupara. Y su evolución, si la hay, es sólo inevitable tributo a la época.

León Felipe Camino publicó su primer libro de versos en 1920. Del mismo modo que Moreno Villa recorre el mundo por deporte, León Felipe lo hace por auténtico dictamen espiritual. Por irrefrenable inquietud. Actitudes opuestas: el primero encuentra siempre lo que busca y lo que no busca; el segundo eternamente busca lo que no encuentra.

Nadie tan original en su tiempo como él. Ciertamente se le pudieran hallar afinidades

—y muy a menudo se ha dicho— con Walt Whitman. Sin embargo, la posición de ambos frente a las cosas difiere bastante. Whitman, un panteísta, descubre a cada instante las perfecciones del universo. La preocupación religiosa de León Felipe, sin apartarse de consideraciones panteístas, reviste tonos destructores de profeta irritado. De hombre para quien el mundo está esperando la venida de un nuevo orden. Tragedia mística, de hondísima raíz semita, que surge a cada paso:

Yo no soy nadie:
un hombre con un grito de estopa en la garganta
y una gota de asfalto en la retina.
Yo no soy nadie. ¡Dejadme dormir!
Pero a veces oigo un viento de tormenta que me grita:
"Levántate, ve a Nínive, ciudad grande, y pregona
[contra ella."
No hago caso, huyo por el mar y me tumbo en el
[rincón más oscuro de la nave,
hasta que el Viento terco que me sigue,
vuelve a gritarme otra vez:
"¿Qué haces ahí, dormilón? Levántate."
—Yo no soy nadie:
un ciego que no sabe cantar. ¡Dejadme dormir!
Y alguien, ese Viento que busca un embudo de trasva-
[se, dice junto a mí, dándome con el pie:
"Aquí está; haré bocina con este hueco y viejo cono
[de metal;

meteré por él mi palabra y llenaré de vino nuevo la
[vieja cuba del mundo. ¡Levántate!"
—Yo no soy nadie. ¡Dejadme dormir!
Pero un día me arrojaron al abismo,
las aguas amargas me rodearon hasta el alma,
la ova se enredó a mi cabeza,
llegué hasta las raíces de los montes,
la tierra echó sobre mí sus cerraduras para siempre...
(¿Para siempre?)
Quiero decir que he estado en el infierno...
De allí traigo ahora mi palabra.
Y no canto la destrucción:
apoyo mi lira sobre la cresta más alta de este sím-
[bolo...
Yo soy Jonás.

Tal vez me llame Jonás[1]

Es lógico, por lo tanto, que al suceder el
destierro obligado a un destierro voluntario
la lírica de León Felipe se haya exaltado hasta
extremos que rozan con la condenación de
todo lo existente. A veces, y por ello, el autor
cae en ciertos abismos de *dies irae* que tocan esferas exteriores a la poesía, con sus puntas y ribetes de vulgaridad prosaica. Muy
disculpables humanamente, esas caídas per-
judican el conjunto de la obra. Salvedad que
no obsta para que algunas de sus composicio-

[1] En *Ganarás la luz,* pp. 30 *ss.*

142

**nes bíblico-proféticas cobren ambiente genial,
como hijas de un alma martirizada:**

Y me voy sin haber recibido mi legado,
sin haber habitado mi casa,
sin haber cultivado mi huerto,
sin haber sentido el beso de la sombra y de la luz.
Me voy sin haber dado mi cosecha,
sin haber encendido mi lámpara,
sin haber repartido mi pan...
Me voy sin que me hayáis entregado mi hacienda.
Me voy sin haber aprendido más que a gritar y a
                                              [maldecir,
a pisar bayas y flores...
me voy sin haber visto el Amor,
con los labios amargos llenos de baba y de blasfemias,
y con los brazos rígidos y erguidos, y los puños cerra-
                [dos, pidiendo Justicia fuera del ataúd.
                                Y ahora me voy [1]

La Justicia —con mayúscula— es norte y
meta de toda la actividad poética de León
Felipe en los últimos tiempos. Quebrando
lanzas apocalípticas contra el molino de viento
de la indiferencia, pretende que se realice en
la tierra el Reino de los Cielos. Actitud qui-
jotesca, de pausada elaboración personal, decidida a jugarse siempre el todo por el todo o,
mejor dicho, el todo por la nada. Producto
de un pensamiento anarquista, dogmático, in-
adaptable, sincerísimo consigo mismo y pro-

[1] *Op. cit.*, pp. 201 s.

fundamente romántico. El poeta es pura pasión y vive por y para ella.

Imágenes, versos, apóstrofes erguidos en titánica lucha, apuntan al rebaño humano, se dirigen a él como procedentes de fuerzas cósmicas, como resultado convergente de miles de millones de voces. Truenos del Sinaí que abominan de toda poesía minoritaria, de toda *élite*.

Por esto, aunque las cualidades positivas sean altísimas, habría que considerarlo totalmente alejado de los propósitos primarios perseguidos por la generación del 20.

Otra personalidad singular es la de Juan José Domenchina. Su poesía sorprende porque la preocupación cordial queda sumergida bajo la intelectual. Por el tema y el tono, por la cuidadosísima construcción de los versos, por el estilo general hermoso y frío, Domenchina recuerda a ciertos clásicos de filiación europea en los cuales se mantiene perfecto equilibrio entre intuición, expresión y sentimiento.

Ello no significa, necesariamente, que las cualidades emotivas se hallen ausentes en su lírica, sino que la emoción se sacrifica, se racionaliza en cierta manera. La espontaneidad se lima en lo posible aunque la búsqueda, demasiado concienzuda, de lo perfecto no ahogue en el cauce de la inteligencia los frutos primarios de la sensibilidad.

Hondo está aquí el silencio,
remansado en la inmóvil transparencia
de la tarde. Ni un ala,
ni un eco, ni una brisa...
Hondo es aquí el silencio remansado.
. . . .
Sólo un clamor de sangre,
sólo un latir de corazón, tan sólo
un suspirar profundo
de hondas presencias vivas
son los acordes de este apartamiento.
. . . .
Aquí, donde la vida
se acoda en largo contemplar absorto,
todo mueve a la inmóvil
meditación que hinoja,
mano en mejilla, la altanera frente.
. . . .
Nada al azar. El curso
de este vivir incluye lo imprevisto.
No es esponja, pan leudo,
este pan que nos nutre
de ázima soledad compactamente.
. . . .
. . . .

De *Cautividad primera*[1]

[1] En *Poesías escogidas (1915-1939)*, La Casa de España en México, 1940, pp. 236 *ss.*

Los diversos estados de ánimo están controlados por una voluntad poderosa. Cualquier desviación innecesaria queda suprimida. Las estrofas, de cadencia solemne, perfectas, rechazan toda postura que no se acomode al propósito para el que fueron escritas. El autor las limita a su propio capricho y les imprime sin esfuerzo la dirección deseada.

Ni risueñas escapadas juguetonas, ni tragedias irreparables cabrían en este camino segurísimo, trazado con verdadera maestría de arquitecto. Por razones diferentes a las de León Felipe, tampoco Domenchina comulga con su generación. Nada tenemos que objetar a este aislamiento, pero sí sería de desear que el poeta se olvidara de vez en cuando de sí mismo y se dejara arrastrar por su inmenso temperamento, por sus cualidades magistrales, por su magnífica y original emotividad.

IX

TRES POETAS ANDALUCES

Tres poetas andaluces —Emilio Prados, Manuel Altolaguirre, Pedro Garfias—, nacidos casi al mismo tiempo, cuyos primeros libros muestran influencias similares y aparecieron con escasa diferencia de tiempo, han seguido maneras bien distintas, afirmándose cada cual por su lado.

Ninguno de los tres ha experimentado una evolución tan completa y definitiva como Prados. El contraste de su lírica presente con la inicial es grande, pero no mucho después de publicado *Tiempo*,[1] los asuntos y el estilo externo de su poesía anunciaban ya una rectificación de calidades que, mejoradas día tras día, hacen de Prados uno de los mayores poetas actuales en lengua española.

Es indiscutible y obvio que en sus princi-

---

[1] Por estos años Prados fundó y dirigió, en Málaga, la revista y editorial *Litoral*. En su imprenta, llamada "Sur", y gracias a su magnífico entusiasmo, se hicieron algunas ediciones de los, por entonces, "nuevos". Entre ellas algunos de los primeros libros de Federico García Lorca, Manuel Altolaguirre, Vicente Aleixandre, Luis Cernuda, etc.

pios Emilio Prados debió mucho a García
Lorca y bastante a Rafael Alberti. Mas cuando se decidió a utilizar su propia voz y des-
prenderse de andaderas, lo hizo con firmeza y
personalidad suficiente.

Desarrolló un gusto decidido por lo transcendental, por lo senequista, por las antiguas
ideas hispánicas de la muerte que da vida y
de la soledad. El destierro acentuó sus inclinaciones, su sentimiento de vacío, su esperanza en un vago y borroso más allá. Como él
mismo dice:

> Soledad, noche a noche te estoy edificando,
> noche a noche te elevas de mi sangre fecunda
> y a mi supremo sueño curvas fiel tus murallas
> de cúpula intangible como el propio universo.
> *Tres tiempos de soledad.*[1]

Esta construcción de la soledad que crece
por momentos y se arraiga con los años en el
alma de los hombres había sido ya intuída
por el poeta, al hacer examen de conciencia,
años atrás:

> Huyendo voy de la muerte,
> vengo huyendo de mí mismo,
> que ya la muerte y mi cuerpo
> tienen un solo sentido.

[1] En *Mínima muerte* (México, 1944).

Tanto a mi cuerpo le temo,
que no sé si el estar vivo
es morir y estar despierto
o muerto soñar dormido.
No sé dónde acaba el nudo
que amarra mi triste sino
con la cuerda de mi sueño,
sonda de mi propio abismo.
Abismo mudo es mi alma,
centro oscuro de mi olvido
adonde el mundo va entrando
igual que en el mar los ríos.
Muerto en mi cuerpo, en mi alma
se alzará mi cuerpo vivo.
Vencida tengo a la muerte,
que anduve el mismo camino:
ella lo anduvo por fuera,
yo por dentro de mí mismo.
Tanto temor padecí
como hallé por fin alivio.
Hoy no sé si vivo o muero
o en la eternidad habito.
Una cosa es renacer
y otra vivir en la muerte
para no quererla ver.

Tres canciones de despedida[1]

En estas metáforas renace lo mejor del pensamiento de la soledad española. Son legítima resultante de Lope, de Calderón, de Jorge Manrique. Es decir, de la lírica severa que

[1] *Ibid.*

mira la vida como tránsito y la muerte como destino. La ascética soledad en que vivimos, en espera de ese final ineludible de la muerte, ha venido a ser uno de los temas favoritos de la poesía anterior a la generación de Prados. Mas, anteriormente, Prados, como Cernuda y otros, habían comprendido el volumen tremendo de ella. Nos encontramos, pues, en el umbral de las ideas y estimaciones barrocas y sería cosa de ampliar a Vossler en su *Soledad en la Poesía española,*[1] pues en cada hora que pasa, el valor de la soledad y de la muerte como motivos líricos elevan su nivel entre nosotros. La dignidad estoica de tales conceptos, la grandeza con que, generalmente, han sido tratados, presta a la literatura peninsular uno de sus mejores atractivos.

Volviendo a Prados, tenemos en él el ejemplo de la ascensión poética aunque, verdaderamente, su estilo último no convenga tampoco a las normas primitivas que siguiera. A ellas concedió una mínima porción de su talento y luego, recapacitando sobre el ser y el destino, desembocó en ese sistema de ecuaciones espirituales —muerte, soledad, vida— tan caro a los poetas de la meditación, a los

[1] K. Vossler, *Poesie der Eisamkeit in Spanien* (Munich, 1935–36).

contempladores de su íntimo desvivir, reflejo para ellos del panorama exterior de la existencia. Fuerzas contrarias que se resumen y resuelven en la exquisita serenidad cristiana de la muerte no como aniquilación, sino como experiencia y esperanza.

¿Qué sorpresa nos deparará aún ese mundo de Emilio Prados que entra —con vértice seguro y maravillosa metáfora— "en el centro oscuro de su olvido"? Lo ignoramos. Pero, afortunadamente, se trata de un escritor para quien todavía están abiertos los espacios y las interrogantes del porvenir.

Difícilmente podría concebirse un poeta cuya altura estética se haya mantenido a nivel semejante a lo largo de su producción. De ordinario la lírica de cada uno se desarrolla en alternativas curvas de descenso y subida. Ejemplo típico de lo dicho es el de Altolaguirre porque en él —depresiones y elevaciones— se amplifican como en una gráfica de fiebre recurrente.

Nada tan desconcertante como la lectura de sus primeras producciones,[1] en las que lo

¹ La mejor poesía de Altolaguirre —para mi gusto— está seleccionada en las *Islas Invitadas,* de las

mismo campean influencias ajenas muy notorias, como, de pronto, sin aviso previo, el autor se dispone a tirar "maestros" por la borda y navega sin auxilio por la alta marea poética, proporcionándonos la exquisita recompensa de una lírica apasionante. Por eso, para ser completa, la crítica de Altolaguirre requeriría un examen especial de cada poema.

Tal vez resida la explicación del hecho en su romanticismo. Pues Altolaguirre es, esencialmente, un romántico dotado de la inestabilidad emocional de 1830 y no se detiene en la selección de un asunto ni en la factura de un poema. Todo ímpetu y espontaneidad, ninguna consideración de tipo reflexivo le detiene. De ahí que su poesía responda al grado de inspiración del momento. Llevado por su turbulencia, arriba a menudo a playas de atmósfera propicia, que le entregan hallazgos formidables:

> Era mi dolor tan alto,
> que la puerta de la casa
> de donde salí llorando
> me llegaba a la cintura.
>
> ¡Qué pequeños resultaban
> los hombres que iban conmigo!

cuales conozco tres ediciones, de amplitud y contenido diferentes (1926, 1936 y 1944).

Crecí como una alta llama
de tela blanca y cabellos.

Si derribaran mi frente
los toros bravos saldrían,
luto en desorden, dementes,
contra los cuerpos humanos.

Era mi dolor tan alto,
que miraba al otro mundo
por encima del ocaso.

De "Elegías" (*Las Islas Invitadas*)

Aquí el dolor dinámico, incontenible, empequeñece las cosas materiales. La pena envuelve al mundo y triunfa sobre él. Y si
rompiera su límite carnal escaparía alocada,
furiosa, agresiva. Esta progresión del sentimiento por la escala de la metáfora, en alegó-
rico crescendo, constituye una muestra de lo
dicho anteriormente. Gracia espontánea, acierto, ligereza y sencillez.

Desde México, Manuel Altolaguirre, como
el resto de sus compañeros, ha prestado tributo a la poesía del éxodo. Por las razones ya
apuntadas, el éxodo español lleva enroscada la
conciencia de la soledad. Pero largo tiempo
atrás el poeta la había descubierto, aunque
quizá en otro terreno menos universal y trans-
cendente que el de Prados:

153

Traigo mi soledad acompañada
de cuantos seres son mis semejantes,
vengo solo, tan solo que conmigo
toda la humanidad sólo es un hombre.

. . . .

De *Narciso*

Movible, romántico, bohemio, la lírica de
Altolaguirre ocupa distinguido lugar en la literatura moderna española, revelando como
pocos la evolución, el cambio continuo, las
opuestas atracciones a que un amplio sector
de aquélla ha estado sometido.

Pedro Garfias enmudeció en la poesía casi
por completo después de publicar su primer
libro.[1] Bastantes años más tarde —en plena
guerra— dió razón de su existencia con *Héroes
del Sur*.[2] Pero cuando confirmó su calidad
fué con la aparición de *Primavera en Eaton
Hastings*.[3] En él, como en tantos otros y con-
trariamente a la regla general, la madurez ha
revelado al poeta hecho y derecho.

Depurada ya de influencias inmediatas,
Primavera en Eaton Hastings ofrece elegías en

[1] *Ala del Sur*, 1926.
[2] 1938.
[3] México, 1941.

154

que la nostalgia y la cólera se conjugan en el brillante marco de una naturaleza renacida, abierta por igual al recuerdo, al odio y al amor, en la que colores, aromas y plantas avivan el dolor por la patria y los compañeros desaparecidos:

El verso humano pesa.
Yo lo cojo en mis manos
y siento que me dobla las muñecas.
Mi traspiés juega mal con el camino
y mi dolor contigo, oh blanca primavera.

A veces de lo hondo del silencio
que bordean las flores y la brisa
acude el largo grito a mi garganta.
La primavera rápida se esquiva,
se rompe en mil pedazos
el aire de veloz cristalería
y cubre al sol sus desnudados miembros
como una virgen tímida.
Yo quedo sobre un monte de tinieblas
aullando al horizonte de mi vida.

Desde esta primavera luminosa
¿por qué no recordaros,
vosotros que conmigo compartisteis
la lluvia y el espanto?
De vuestra sencillez sabe este agua.
De vuestra dignidad sabe este árbol.
Acaso vuestros rostros en borrasca
rimaran mal con este oculto prado:
pero también su cultivado césped

lo ha sido por las manos.
Hombres de España muerta, hombres muertos de Es-
[paña.
¡Venid a hacerles coros a estos pájaros![1]

Garfias, pues, ha vuelto por la fama que su alejamiento de la poesía activa y de los cenáculos literarios durante tantos años parecía decidido a negarle. El vigor, la sensibilidad, la facilidad, no han menguado con el tiempo. En cambio, éste le ha prestado mayor grandeza, amplitud y personalidad.

[1] *Primavera en Eaton Hastings* (México, 1939), pp. 56 *s.*

X

MIGUEL HERNÁNDEZ

Mención especial merece Miguel Hernández.[1] Uno de los últimos en revelarse —hacia 1932—, Hernández, casi adolescente, compuso poemas de nuevo sabor. Muy originales, para entonces, sus poesías se distinguían por la escasa complicación, la fuerza y el vibrante apasionamiento. Su vena popular, sincera, para muchedumbres, le señalaban como verdadero poeta del pueblo. Esto se combinaba a un exquisito aroma bucólico sin artificios ni rebuscamientos. En el fondo las composiciones de Hernández eran fruto de un temperamento religioso, esencialmente cristiano, capaz de conducirle a expresiones místicas o bíblicas.

Pero cuando compone la *Elegía a Ramón Sijé*[2] grita:

[1] *Perito en lunas* (1932) y *El rayo que no cesa* (edición de 1942), contienen sus obras más notables.

[2] Ramón Sijé, junto con José María Quílez y Sans y Miguel Hernández, publicaron en Orihuela *El Gallo Crisis*, una de las mejores revistas españolas del período inmediatamente anterior a la guerra civil.

Yo quiero ser llorando el hortelano
de la tierra que ocupas y estercolas,
compañero del alma, tan temprano.

Alimentando lluvias, caracolas
y órganos mi dolor sin instrumento,
a las desalentadas amapolas

daré tu corazón por alimento
Tanto dolor se agrupa en mi costado,
que por doler me duele hasta el aliento.

Un manotazo duro, un golpe helado,
un hachazo invisible y homicida,
un empujón brutal te ha derribado.

No hay extensión más grande que mi herida
lloro mi desventura y sus conjuntos
y siento más tu muerte que mi vida.

Ando sobre rastrojos de difuntos,
y sin calor de nadie y sin consuelo
voy de mi corazón a mis asuntos.

Temprano levantó la muerte el vuelo,
temprano madrugó la madrugada,
temprano estás rodando por el suelo.

No perdono a la muerte enamorada,
no perdono a la vida desatenta,
no perdono a la tierra ni a la nada.

En mis manos levanto una tormenta
de piedras, rayos y hachas estridentes,
sedienta de catástrofes y hambrienta.

Quiero escarbar la tierra con los dientes,
quiero apartar la tierra parte a parte
a dentelladas secas y calientes.

Quiero minar la tierra hasta encontrarte
y besarte la noble calavera
y desamordazarte y regresarte.

Volverás a mi huerto y a mi higuera:
por los altos andamios de las flores
pajareará tu alma colmenera

Volverás a mi huerto y a mi higuera;
de angelicales ceras y labores.
de los enamorados labradores.

Alegrarás la sombra de mis cejas,
y tu sangre se irán a cada lado
disputando tu novia y las abejas.

Tu corazón, ya terciopelo ajado,
llama a un campo de almendras espumosas
mi avariciosa voz de enamorado.

A las aladas almas de las rosas
del almendro de nata te requiero,
que tenemos que hablar de muchas cosas,
compañero del alma, compañero.

Los afectos cordiales, la amistad fraternal
y la generosa vitalidad campesina de Hernández, sólo dejan espacio a la protesta. Tan humana como violenta, inconsolable frente a la

desgracia ajena y tal vez insumisa a las disposiciones divinas.

Sería cuestión de estudiar detenidamente a Hernández en todos sus aspectos. Inclusive en el de renovador del auto sacramental (fué el primero en escribir obras de esta índole en nuestra época). La dificultad de la poesía de Hernández estriba en clasificarla. No cabe en las escuelas anteriores a ella. Rompe con las abusadas metáforas contemporáneas, casi convertidas en lugares comunes, para crear su propia metáfora, sin pretensiones de elegancia, como tomada al ambiente campesino. Y como ese campo, seco y abrasado, las imágenes son duras, agresivas, nuevas, eficaces, logradísimas. Viento huracanado que derriba valores convertidos en convencionales a fuerza de repetirse.

Pero si bien es verdad que no puede agregarse al grupo por mí estudiado, tampoco podríamos incluirle en el que lo continúa. Pues aunque la poesía de Rosales haga tabla rasa del pasado e imponga un clasicismo de corte herreriano, con apretada fibra religiosa, representa otra manera de literatura selecta y para minorías a la que tampoco Hernández hubiera podido sumarse.

Nos encontramos, desde luego, ante un genio solitario, que labora su propio camino, rechazando el oleaje de las influencias, y permanece en su rústica isla amontonando las rocas poderosas de una lírica de noble estilo e incursa en horizontes peculiares.

XI

EPÍLOGO

Resultaría interminable reseñar *in extenso* las docenas de poetas mayores, en torno a estas primeras figuras, entre 1920 y 1935. Al emplear la expresión "primeras figuras" no trato de aminorar las restantes, pero la magnitud de ellas empequeñece a sus contemporáneos sin hacerles desmerecer.

Por mi parte, estoy convencido de que, en circunstancias menos propicias para la lírica española, muchos de los aparentes satélites girarían en órbitas propias y deslumbradoras. Mas clasificar vale tanto como escalonar y ha de hacerse atendiendo, dentro de un sector, a valores relativos, sin tomarlos aisladamente en cuenta.

Otra dificultad consiste en agrupar —o reagrupar— a los poetas de este capítulo según tendencias. Algunos, verdaderamente, no siguen a nadie. Otros, por el contrario, manifiestan diversas influencias. Por último hay quienes debutaron con una poesía de tono menor, que perduró en ellos hasta el 35, y después han vuelto por sus fueros produciendo poemas y libros de superior envergadura.[1] A éstos no voy a mencionarlos aquí. Preparo un segundo ensayo sobre los poetas nacidos bajo el signo de la guerra civil española, o en sus albores. Poesía de doble vertiente: la emigrada —Juan Gil-Albert, Juan Rejano, Francisco Giner de los Ríos, Adolfo Sánchez Vázquez, etc.— y la peninsular con Dámaso Alonso, Luis Rosales y Leopoldo Panero a la cabeza.

Supongo que alguien me tachará de arbitrario. Séalo o no, mi convicción profunda es que tales nombres no tienen otra relación con la generación precedente sino la que necesariamente existe entre dos períodos sucesivos. Por supuesto que Alonso y Rosales eran muy conocidos con anterioridad. Pero, por lo que hace a aquél, acabo de exponer mis razones para su omisión aquí. En cuanto a Rosales, hablaré de él al final, como eslabón de engarce con otra temática poética.

Por la cantidad de nombres y la limitación de mi ensayo me veo forzado a verificar una selección. No pretendo que sea la más acertada, como dictada por mis gustos personales, que —insisto en ello— no buscan ser erigidos en dogma ni medida.

[1] Vuelvo a referirme a Dámaso Alonso y a sus libros, tan distintos, *Oscura noticia* (Madrid, 1944) e *Hijos de la ira* (Madrid y Buenos Aires, 1944).

Ramón de Basterra, Ernestina de Champourcín, Fernando Villalón, Antonio Espina, Concha Méndez, José María Quiroga Pla, José María Hinojosa, Juan Larrea y Adriano del Valle constituyen una pléyade menor en la que son patentes las huellas de los poetas capitales contemporáneos. Para mi gusto Basterra es el más logrado. Villalón, el más original, deriva su poesía del tema y la copla andaluza y conserva un delicioso tono popular.

Mauricio Bacarisse y José de Ciria y Escalante desaparecieron prematuramente sin alcanzar a llenar su medida. En cuanto a Juan Chabás y Ángel Valbuena, que surgieron al campo de la poesía con gracioso garbo, han hecho mutis de ella derivando hacia la crítica literaria y las actividades de cátedra. Algo semejante estuvo a punto de ocurrir con Dámaso Alonso, a quien la investigación española debe algunas de sus páginas más definitivas. Afortunadamente ha rectificado y ya expliqué el motivo de no ocuparme de él en este ensayo.

En el año 1936 comenzó a lucir en España otra nueva constelación que no pretendo —tampoco— analizar ahora, pero a la que, siquiera de pasada, voy a referirme. Algunos de los que la forman —Luis Rosales, por ejemplo, cuyo primer libro,[1] aparición prematura, fué publicado en 1935— son casi coetáneos de la generación del 20.

A las negaciones románticas de los postreros representantes del período, Rosales y sus continuadores oponen una nueva afirmación. El iniciador del movimiento cuenta con modalidad clásica —herreriana—, una verdad —su verdad— y esta verdad es, también, trascendente en el mayor grado.

Comienza como sencilla construcción amorosa y después, por el camino insondable del amor humano, se remonta al amor divino. A la contemplación de Dios, Padre y Señor de todas las criaturas. Los poemas de Rosales, harto a menudo, logran tonos hebraicos como los de su modelo. Mas su fuerte acento sálmico cambia, en los versos de sus seguidores, a una contemplación de los campos y los cielos y, a través de ellos, contemplación de la propia alma.

Muchos de estos jóvenes —inclusive los dos citados— se agruparon en torno a Neruda e iniciaron una nueva revista dirigida por el poeta chileno.[2] Y sin embargo, lo curioso de este asunto es que Neruda —pese a su inmensa

[1] *Abril* (Madrid: Cruz y Raya, 1935).
[2] *Caballo Verde para la Poesía* (Madrid, 1936).

personalidad estética— influye poco o nada sobre ellos. Pero allí salieron otros rumbos a seguir. Un tipo de poesía bucólica y eglógica que recuerda la producción de esa clase en nuestro siglo XVI.

Así llegamos a una nueva visión de los valores del mundo y del espíritu. A una dimensión religiosa práctica. A una mística esencialmente cristiana y católica. A una contemplación serena de la naturaleza. Es decir, estos poetas habían vuelto a encontrar un lugar de equilibrio para el pensamiento y el corazón. Aunque, en el fondo, también se trate de otra huída. Mas, ahora, se escapa por la fe y no por la desesperación. No piensan en aniquilarse, sino en sobrevivirse.

Cierro aquí mi ensayo sobre la moderna poesía hispánica. No es ahora mi propósito enjuiciar o exponer los cauces que actualmente siga.

Vuelvo, pues, a ceñirme a mi tema originario. Lo que comenzó —en la lírica— como brote optimista, como redescubrimiento de valores nacionales, va cobrando, al paso de los días, el matiz de preocupación derivado de conocerse no sólo en extensión sino en profundidad. Con esporádicos escapes y concesiones a modas generales, la poesía española se hace cada vez más auténtica y profunda en estos quince años. Los intentos de deshumanización la rozan superficialmente. Juego de palabras y espíritu. De letra y metáfora. Lucha, combate, agonía. Lo gongorino y lo herreriano, la soledad heroica y la alegría vital se conjugan en ella.

Ciertamente no es lírica realista. Ni popular, aunque gran número de sus manifestaciones procedan de motivos estilizados de aquella índole. Concurren en ella los más apreciables caracteres de lo tradicional, del barroquismo español, tan inquieto, punzante, patético y vario. Nunca vulgar, siempre renovado y siempre, también, renacido de sus propias cenizas para ofrecernos, como en estos quince dorados años de poesía, la más generosa e inesperada de las sorpresas.

APÉNDICE

Aunque este libro no pretende, como ya dije, las palmas eruditas, he creído oportuno agregar un pequeño índice bibliográfico de los principales poetas de la generación de 1920 y de sus obras más importantes. De propósito he omitido los libros por ellos publicados cuyo contenido no caiga enteramente dentro del campo de la lírica.

JORGE GUILLÉN (Valladolid, 1893): La obra poética de Guillén está contenida en un solo libro, *Cántico*, y el estudio de su progreso y desarrollo sólo es posible a través de sus varias ediciones (1ª ed., Madrid: Revista de Occidente, 1928; 2ª ed., Madrid: Cruz y Raya, 1936; 3ª ed., México: Litoral, 1945).

PEDRO SALINAS (Madrid, 1892): *Presagios* (Madrid: Índice, 1923). *Seguro azar* (Madrid: Revista de Occidente, 1929). *Fábula y signo* (Madrid: Plutarco, 1931). *Amor en vilo* (Madrid: La Tentativa Poética, 1933). *La voz a ti debida* (Madrid: Signo, 1933). *Razón de amor* (Madrid: Cruz y Raya, 1936). *Error de cálculo, poema* (México: Fábula, 1938). *Lost Angel and other poems* (texto español y trad. ingl. de E. T. Turnbull) (Baltimore: The Johns Hopkins Press, 1938). *Truth of two* (ibid.) (Baltimore: The Johns Hopkins Press, 1939). *Poesía junta* (antología) (Buenos Aires: Losada, 1942). *El contemplado* (México: Nueva Floresta, 1946). *Todo más claro*

169

y otros poemas (Buenos Aires: Sudamericana, 1949).

RAFAEL ALBERTI (Puerto de Santa María, 1903): *Marinero en tierra* (Madrid: Biblioteca Nueva, 1925). *La amante* (1ª ed., Málaga: Litoral, 1926; 2ª ed., Madrid: Plutarco, 1929). *El alba del alhelí* (Santander: Colección de Libros para Amigos, 1927). *Cal y canto* (Madrid: Revista de Occidente, 1929). *Sobre los ángeles* (Madrid: C.I.A.P., 1929). *Dos oraciones a la Virgen* (París, 1931). *Consignas* (Madrid, 1934). *Poesía* (antología) (1ª ed., Madrid: Cruz y Raya, 1934; otras ediciones, Madrid: Signo, 1939; Buenos Aires: Losada, 1940, 1946...). *Trece bandas y cuarenta y ocho estrellas* (Madrid, 1936). *Verte y no verte* (Madrid: Cruz y Raya, 1936). *Entre el clavel y la espada* (Buenos Aires: Losada, 1941). *¡Eh!... los toros* (1943). *Pleamar* (Buenos Aires: Losada, 1944). *A la pintura* (Buenos Aires: Imp. López, 1945).

FEDERICO GARCÍA LORCA (Granada, 1898-1936): *Libro de poemas* (Madrid, 1921). *Canciones* (1ª ed., Málaga: Litoral, 1927; 2ª ed., Madrid: Revista de Occidente, 1929). *Primer romancero gitano* (Madrid: Revista de Occidente, 1ª ed., 1928; 2ª ed., 1929. Ediciones sucesivas en Calpe). *Poema del cante jondo* (Madrid: Ulises, 1931). *Seis poemas galegos* (Madrid, 1935). *Llanto por la muerte de Ignacio Sánchez Mejías* (Madrid: Cruz y Raya, 1935). *Diván de Tamarit* (Granada, 1936). *Primeras canciones* (Madrid: Héroe, 1936). *Oda a Salvador Dalí* (texto original y trad. francesa) (París, 1938). *Poeta en Nueva York* (México: Séneca, 1940). *Obras completas* (7 vols., Buenos Aires: Losada, 1938-1942). *Siete poemas y dos dibujos inéditos* (Madrid: Cultura Hispánica, 1949). (De García Lorca hay numerosas antologías y traducciones al inglés y otros idiomas; de casi todas sus obras, especialmente del *Romancero gitano*, se han hecho incontables ediciones.)

GERARDO DIEGO (Santander, 1896): *El romancero de la novia* (Madrid: 1ª ed., 1920; 2ª ed., con *Iniciales*, Hispánica, 1944). *Imagen* (Madrid, 1922). *Soria* (Valladolid, 1923). *Manual de espumas* (Madrid, 1924). *Versos humanos* (Madrid: Imp. de Amando Sáenz, 1925). *Viacrucis* Santander, 1931). *Fábula de Equis y Zeda y Poemas adrede* (1ª ed., en 2 vols., México: Alcancía, 1932; 2ª ed., en 1 vol., Madrid: Adonais, 1943). *Ángeles de Compostela* (Madrid, 1940). *Romances* (Madrid: Patria, 1941). *Primera antología de sus versos* (Madrid y Buenos Aires: Espasa-Calpe, 1941). *Alondra de verdad* (Madrid: Escorial, 1ª ed., 1941; 2ª ed., 1943). *La sorpresa* (Madrid, 1944).

VICENTE ALEIXANDRE (Sevilla, 1900): *Ámbito* (Málaga: Litoral, 1928). *Espadas como labios* (Madrid: Espasa-Calpe, 1932). *La destrucción o el amor* (Madrid: 1ª ed., Signo, 1935; 2ª ed.,

Alhambra, 1945). *Pasión de la tierra* (poemas en prosa) (1ª ed., México: Fábula, 1935; 2ª ed., Madrid: Adonais, 1946). *Sombra del paraíso* (1ª ed., Madrid: Adán, 1944; 2ª ed., Buenos Aires: Losada, 1947). *Mundo a solas* (Madrid, 1950).

Luis Cernuda (Sevilla, 1904): *Perfil del aire* (Málaga: Litoral, 1927). *La invitación a la poesía* (Madrid: La Tentativa Poética, 1933). *Donde habite el olvido* (Madrid, 1935). *El joven marino* (Madrid: Héroe, 1936). *La realidad y el deseo* (antología) (1ª ed., Madrid: Cruz y Raya, 1936; 2ª ed., México: Séneca, 1940). *Ocnos* (prosa) (1ª ed., Londres: The Dolphin, 1942; 2ª ed., Madrid: Ínsula, 1949). *Como quien espera el alba* (Buenos Aires: Losada, 1947).

José Moreno Villa (Málaga, 1887): *Garba* (Madrid: s. p. i., 1913). *El pasajero* (Madrid, 1914). *Luchas de pena y alegría* (Madrid, 1915). *Evoluciones* (Madrid: Calleja, 1918). *Florilegio* (San José de Costa Rica: El Convivio, 1920). *Colección* (Madrid: s. p. i. [Caro Raggio], 1924). *Jacinta la Pelirroja* (Málaga, 1929). *Carambas* (Madrid, 1931). *Puentes que no acaban* (Madrid: s. p. i. [impreso por M. Altolaguirre], 1933). *Salón sin muros* (Madrid: Héroe, 1936). *Puerta severa* (México: Tierra Nueva, 1941). *La noche del verbo* (México: Tierra Nueva, 1942). *Vida en claro* (autobiografía) (México: El Colegio de México, 1944). *La música que llevaba* (antología) (Buenos Aires: Losada, 1949).

León Felipe (Zamora, 1884): *Versos y oraciones de caminante* (Libro I, Madrid, 1920; Libro II, Nueva York, 1929). *Drop a star* (México, 1932). *Antología* (Madrid, 1933). *Good-bye, Panamá* (Panamá: s. p. i., 1936). *La insignia* (1ª ed., Valencia, 1937; 2ª ed., México, 1938). *El payaso de las bofetadas y el pescador de caña* (México: Fondo de Cultura Económica, 1938). *El hacha* (México: Letras de México, 1939). *Español del éxodo y del llanto* (México: La Casa de España, 1939). *El gran responsable* (México: Tezontle, 1940). *Los lagartos* (Mérida de Yucatán: Huh, 1941). *Ganarás la luz* (México: Cuadernos Americanos, 1943). *Antología rota* (Buenos Aires: Pleamar, 1948). *El último publicano* (México: Almendros y Vila, 1950).

Juan José Domenchina (Madrid, 1898): *Del poema eterno* (Madrid: Mateu, 1917). *Las interrogaciones del silencio* (Madrid: Mateu, 1918). *Poesías escogidas* (Madrid: Mateu, 1922). *La corporeidad de lo abstracto* (Madrid: C.I.A.P., 1929). *El tacto fervoroso* (Madrid: C.I.A.P., 1930). *Dédalo* (Madrid: Biblioteca Nueva, 1932). *Margen* (Madrid: Biblioteca Nueva, 1933). *Poesías completas* (Madrid: Signo, 1936). *Poesías escogidas* (México: La Casa de España, 1940). *Destierro* (México: Atlante, 1942). *Tercera elegía jubilar* (México: Atlante, 1944). *Pasión de sombra* (México: Atlante, 1944). *Tres elegías jubilares* (México: Centauro, 1946). *Exul umbra* (Mé-

173

xico: Nueva Floresta, 1948). *Perpetuo arraigo* (México: Signo, 1949).

EMILIO PRADOS (Málaga, 1899). *Tiempo* (Málaga: Sur, 1925). *Canciones del farero* (Málaga: Litoral, 1925). *Vuelta* (Málaga: Litoral, 1927). *El llanto subterráneo* (Madrid: Héroe, 1936). *Llanto en la sangre* (Valencia: Ediciones Españolas, 1937). *Cancionero menor* (Barcelona: Ediciones Españolas, 1938). *Memoria del olvido* (México: Séneca, 1940). *Mínima muerte* (México: Tezontle, s. f. [1944]). *Jardín cerrado* (México: Cuadernos Americanos, 1946).

MANUEL ALTOLAGUIRRE (Málaga, 1904): *Las islas invitadas y otros poemas* (Málaga: Litoral, 1926). *Ejemplo* (Málaga: Litoral, 1927). *Escarmiento, Vida poética, Lo invisible* (Madrid, 1930). *Un día, Amor* (París, 1931). *Soledades juntas* (Madrid: Plutarco, 1931). *La lenta libertad* (Madrid: Héroe, 1936). *Nube temporal* (La Habana: La Verónica, 1939). *Atenta-mente* (3 números, La Habana, 1939-1940). *Poemas de las islas invitadas* (México: Litoral, 1944). *Fin de un amor* (México: Isla, 1949).

PEDRO GARFIAS (Osuna, 1901): *El ala del Sur* (Sevilla, 1927). *Poesías de la guerra* (Valencia: Comisariado General de Guerra, s. f. [1937]). *Héroes del Sur* (Madrid-Barcelona: Nuestro Pueblo, 1938). *Primavera en Eaton Hastings* (México: Tezontle, 1939). *Poesías de la guerra española* (México: Minerva, 1941). *Elegía a la presa de Dnieprostroi* (México: Diálogo, 1943).

174

Ramón de Basterra (Bilbao, 1887-1928): *Las ubres luminosas* (Bilbao: Biblioteca de Escritores Vascos, 1923). *La sencillez de los seres* (Madrid: Renacimiento, 1923). *Los labios del monte* (Madrid: Renacimiento, 1924). *Vírulo: Las mocedades* (Madrid, 1924). *Vírulo: Mediodía* (Madrid: La Gaceta Literaria, 1927). *Antología poética* (Madrid, 1939).

Ernestina de Champourcín (Vitoria, 1905): *El silencio* (Madrid: Espasa-Calpe, 1925). *Ahora* (Madrid: León Sánchez Cuesta, 1928). *La voz cn el viento* (Madrid: C.I.A.P., 1931). *Cántico inútil* (Madrid: Aguilar, 1936).

Fernando Villalón (Morón de la Frontera, 1881-1930): *Andalucía la Baja* (Madrid, 1927). *La toriada* (Málaga: Litoral, 1928). *Romances del 800* (Málaga: Sur, 1927). *Poesías* (Madrid: Hispánica, 1944).

Antonio Espina (Madrid, 1894): *Umbrales* (Madrid: s. p. i. [Librería de A. de Ángel Alcoy], 1918). *Signario* (Madrid: Índice, 1923).

Concha Méndez (San Sebastián, 1901): *Surtidor* (Madrid, 1926). *Inquietud* (Madrid, 1927). *Canciones de mar y tierra* (Buenos Aires, 1931). *El ángel cartero y El personaje presentido* (Madrid: C.I.A.P., 1931). *Vida a vida* (Madrid: La Tentativa Poética, 1932). *Niño y sombras* (Madrid: Héroe, 1936). *Lluvias enlazadas* (La Haba-

175

na: La Verónica, 1939). *Poemas, sombras y sueños*
(México: Rueca, 1944). *Villancicos de Navidad* (México: Rueca, 1944).

José María Quiroga Plá (Madrid, 1902): *Baladas para acordeón* (1928). *Morir al día* (París: E. Ragasol, s. f. [1945]).

José María Hinojosa (Málaga, 1905-1936): *Poema del campo* (Madrid, 1925). *Poesía de perfil* (Málaga: Litoral, 1926). *La rosa de los vientos* (Málaga: Litoral, 1927). *La flor de california* (Málaga: Litoral, 1928).

Juan Larrea (Bilbao, 1895): No ha publicado libros de poesía, pero sí muchos poemas en revistas. Figura en algunas antologías (considerablemente, en la publicada por Gerardo Diego). Sus obras en prosa *Rendición de espíritu* (2 vols., México: Cuadernos Americanos, 1943) y *La luz iluminada* (Nueva York, 1950) son transfiguraciones poéticas.

Adriano del Valle (Sevilla, 1898): *Primavera portátil* (París, 1934). *Lyra sacra* (Sevilla, 1939). *Los gozos del río* (Barcelona, 1940). *Arpa fiel* (Madrid, 1942).

Mauricio Bacarisse (Madrid, 1895-1931). *El esfuerzo* (Madrid: Tip. José Yagües, 1917). *El paraíso desdeñado* (Madrid: Cuadernos Literarios, 1928). *Mitos* (Madrid: Mundo Latino, 1929). *Antología* (1932).

176

JOSÉ DE CIRIA Y ESCALANTE (Santander, 1903-1924):
No publicó libro alguno en vida. La compilación
póstuma de sus poemas figura en la obra *José
de Ciria y Escalante* (Madrid, 1924).

MIGUEL HERNÁNDEZ (Orihuela, 1912-1942): *Perito
en lunas* (Alicante, 1934). *El rayo que no cesa*
(1ª ed., Madrid: Héroe, 1936; 2ª ed., con otros
poemas, Buenos Aires: Rama de Oro, 1942).
Viento del pueblo (Valencia: Ediciones Españolas, 1938).

177

ÍNDICE

Se acabó de imprimir este libro el
día 18 de marzo de 1982, víspera
de la festividad del Santo del autor
en los Talleres Gráficos Arte de Maracena. Se tiraron de él 500
ejemplares